UNE RÉVOLUTION SEXUELLE ?

Réflexions sur l'après-Weinstein

DE LA MÊME AUTRICE

Ceci n'est pas une ville, *Flammarion, 2016.*

Relire. Enquête sur une passion littéraire, *Flammarion, 2015.*

Flaubert à la Motte-Picquet, *Flammarion, 2015.*

L'homme qui se prenait pour Napoléon. Pour une histoire politique de la folie, *Gallimard, 2011; rééd. «Folio», 2013. Prix Femina essai.*

La loi du genre. Une histoire culturelle du «troisième sexe», *Fayard, 2006.*

Passage de l'Odéon: Sylvia Beach, Adrienne Monnier et la vie littéraire à Paris dans l'entre-deux-guerres, *Fayard, 2003; rééd. Gallimard, «Folio», 2005.*

La maison du docteur Blanche. Histoire d'un asile et de ses pensionnaires, de Nerval à Maupassant, *J-C Lattès, 2001; rééd. Gallimard, «Folio», 2013. Goncourt de la biographie, Prix de la critique de l'Académie française.*

Laure Murat

UNE RÉVOLUTION SEXUELLE?

Réflexions sur l'après-Weinstein

Stock

Ouvrage publié sous la direction de Laure Adler

Couverture : Coco bel œil

ISBN 978-2-234-08646-3

© 2018, Stock – Flammarion

À Sonya

Une situation de domination se mesure à l'aune de l'ignorance dans laquelle se complaisent les vies épargnées.

Elsa Dorlin

I

Révolte ou révolution ?

Le 5 octobre 2017, le *New York Times* recueillait le témoignage de plusieurs femmes, accusant Harvey Weinstein de harcèlement sexuel. Le 6, le producteur présentait ses excuses et le 8 était renvoyé de sa propre société. L'affaire aurait pu en rester là, pour être bientôt enterrée comme un scandale hollywoodien parmi d'autres. Mais, quelques jours plus tard, une enquête dans le *New Yorker* révèle que cinq femmes accusent le producteur d'agressions sexuelles et de viols. Aussitôt, d'autres actrices prennent la parole pour le dénoncer à leur tour dans les médias – au total, près d'une centaine de plaintes à ce jour, dont dix-huit pour viol. Le 15, le mouvement me too., fondé en 2006 par Tarana Burke pour inviter les femmes harcelées ou agressées sexuellement à sortir de l'ombre, trouve une seconde vie grâce à l'actrice Alyssa Milano qui lance le hashtag #MeToo. Le lendemain, 500 000 utilisations ont déjà été dénombrées sur Twitter et 12 millions de *posts* relevés sur Facebook. La machine est lancée. Elle ne s'arrêtera plus.

«Séisme», «tsunami», «événement historique», «onde de choc mondiale»… En onze jours, l'affaire Weinstein est devenue le nom de code d'un scandale planétaire, qui n'épargne aucun pays. Son ampleur laisse abasourdi. Si tous les milieux sont touchés, la presse se focalise d'abord sur les têtes connues. Chaque jour apporte son lot de révélations, qui se retrouvent à la une du *New York Times* : l'acteur Kevin Spacey, les sénateurs Roy Moore et Al Franken, le comédien Louis C. K., les journalistes Charlie Rose, Matt Lauer et Garrison Keillor, le chef Mario Batali…

Le 21 janvier 2018, *Libération* publie sur son site une carte interactive qui pointe, par pays, les «faits marquants[1]» relevés par le journal : 556 dans 42 pays dans le monde. 280 en Amérique du Nord, 162 en Europe, 74 en Asie, 17 en Océanie, 12 en Afrique et 11 en Amérique du Sud. Pour l'immense majorité, il s'agit de personnalités dénoncées par plusieurs victimes. Quelques enquêtes sont en cours, rares les accusés visés par une procédure judiciaire, comme le médecin de la fédération de gymnastique Larry Nassar, l'imprésario Gilbert Rozon, l'islamologue Tariq Ramadan, le chef d'orchestre James Levine ou l'acteur Kevin Spacey.

Avec 243 affaires saillantes, les États-Unis prennent largement la tête du palmarès, suivis de l'Angleterre (42), de la Suède (37) et de la France (32), où l'on trouve notamment Thierry Marchal-Beck, ex-président du Mouvement des jeunes socialistes ou le journaliste Frédéric Haziza. L'Italie (9) s'illustre en faisant du «*victim bashing*» à l'encontre de l'actrice Asia Argento, agressée par Harvey Weinstein avec lequel elle avait *par ailleurs* des relations consenties, l'Allemagne est spécialement silencieuse (2). L'Inde (28), où les plaintes pour viol ont augmenté de 40 % entre 2012 et 2015, prend la tête de l'Asie, en faisant circuler une liste de 72 universitaires accusés de violences sexuelles. Le cinéma, les médias, la politique et le sport seraient les cercles les plus touchés. À moins qu'il ne s'agisse tout simplement d'un effet d'optique : ce sont surtout les plus médiatisés.

Deux remarques préalables.

Premièrement, une disparité très importante caractérise les accusés. Ce qui fait que l'affaire est médiatisée n'est pas tant la gravité du délit reproché que la notoriété de la personnalité dénoncée. Résultat, Ben Affleck, accusé par Hilarie Burton de lui avoir pincé le sein gauche sur un tournage en 2003, se verra mis sur le devant de la scène au même titre que le réalisateur James Toback, accusé par 395 femmes de harcèlement et d'agressions sexuelles[2]. Ce traitement médiatique désordonné va alimenter une psychose de l'«amalgame» entre le peloteur occasionnel et le prédateur, le dragueur et le violeur, identifié comme un risque de «dérive» du mouvement #MeToo.

Mieux que de discuter la gradation et la valeur des allégations alors que la plupart des enquêtes sont en cours, il s'agit en réalité de comprendre l'articulation entre trois problèmes intimement intriqués et universellement observés : un système politique (le patriarcat et la domination masculine), des individus (des hommes, hétérosexuels à l'écrasante majorité) et une culture (des institutions sociales et artistiques, des valeurs collectives, des habitudes et des comportements), qui non seulement autorisent mais encouragent, le plus souvent sous couvert d'«humour», le sexisme. Et de confronter cet état de faits : nous vivons dans une société globalisée qui, rigoriste ou libérale, religieuse ou non, musulmane, juive, chrétienne ou autre, met les femmes en danger.

Deuxièmement, deux femmes seulement, d'après mes informations, figurent parmi les accusé.e.s : la chanteuse Melanie Martinez, révélée par l'émission *The Voice*, accusée par sa meilleure amie de l'avoir agressée et violée, et Cristina Garcia, membre de l'Assemblée de Californie, dénoncée par deux hommes avec lesquels elle aurait eu une conduite inappropriée[3]. Ce qui pose la question : pourquoi le harcèlement sexuel, s'il est un problème de relations de pouvoir, serait-il l'apanage des hommes, alors que de plus en plus de femmes ont des postes à responsabilités ? Des cas de harcèlement par des femmes ont bien sûr déjà été répertoriés. Mais leur rareté interroge[4].

Le monde est tombé des nues. Mais la pratique dénoncée du harcèlement, bien que spectaculaire et inattendue dans sa magnitude, ne peut étonner aucune femme sur terre. Car toutes ont vécu, à un moment ou à un autre, une agression à caractère sexuel. Commentaires graveleux, mains baladeuses, baisers forcés, attouchements non désirés, violences sexuelles, molestations, viols : d'un bout à l'autre du spectre, les femmes savent, dès l'enfance le plus souvent, qu'elles sont assimilées à des objets sexuels. Et ce savoir-là est universel. Il transcende toutes les cultures, tous les milieux sociaux, tous les continents.

L'une des particularités les plus frappantes de l'affaire Weinstein est d'être « unique-globale ». Elle est partie d'un destin individuel très circonscrit, un homme tout-puissant, à Hollywood, symbole du luxe et du rêve inaccessible. Tout le singularise et l'isole du reste du monde. Harvey Weinstein est, typiquement, un cas à part, incomparable, jouissant de tous les privilèges du producteur richissime, qui fait la pluie et le beau temps dans les studios. En quelques heures pourtant, cet *unicum* va proliférer en millions d'exemplaires, et provoquer une prise de conscience mondiale, du Chili au Japon, de la Nouvelle-Zélande au Danemark, en passant par l'Arabie saoudite. Son caractère d'exception est inversement proportionnel à l'étendue de son impact et de sa démultiplication. Comme si d'un point minuscule sur la carte de la Californie jaillissaient, telles les toiles sorties des poignets de Spiderman, des filets assez vastes pour recouvrir toute la planète.

La puissance et la rapidité de l'effet de levier entre la cause (individuelle) et l'effet (global) sont, à ma connaissance, inédites. Pour au moins deux raisons.

L'affaire Weinstein n'est pas partie de quelques *fake news* diffamatoires ou fantaisistes sur le Net. Elle est partie d'enquêtes sérieuses, longues et approfondies de la presse écrite, qui joue sa réputation sur ce type d'affaires graves, susceptibles de poursuites judiciaires. Par la suite seulement, les réseaux sociaux ont pris le relais et réuni les conditions d'une mobilisation, qui a donné à l'événement sa dimension globale. L'origine étayée et indiscutable du récit a garanti son «succès» et son retentissement immédiat. Si l'affaire Weinstein doit, d'abord et avant tout, au courage des actrices décidées à rompre le silence et à prendre la parole, elle est aussi, dans un monde où tout va trop vite, un hommage à la patience et au professionnalisme du journalisme d'investigation américain.

L'affaire Weinstein a levé le voile sur quelque chose que «tout le monde savait» mais qui n'était pas révélé. Le phénomène psychologique est connu. Un père interdit à sa fille de sortir. Un jour, il l'aperçoit à la dérobée en train de faire le mur mais ne dit rien. Le lendemain, la fille surprend une conversation entre ses parents et comprend que son père l'a vue et sait. Résultat: le père et la fille savent mais ne savent pas qu'ils savent. Une chape de plomb pèse dès lors sur les deux, incapables de sortir d'une impasse qui les sépare et les soude dans le même mouvement. S'ensuivra un dialogue de sourds à double entente – phénomène familier aux gays et à toute population assignée sans mot dire au « placard ». De même, les agissements du producteur étaient, comme on dit en anglais, un *open secret*, un secret de Polichinelle. Comme l'étaient ceux de Dominique Strauss-Kahn. Comme l'est le comportement des prédateurs en général, au travail, en famille, dans la rue, pour les femmes du monde entier. « C'est un homme à femmes », « c'est un dragueur ». On sait mais on ne dit rien. On sait que l'autre sait, mais on préfère faire comme si. Le système entier tient sur ce silence honteusement partagé. La pyramide repose sur sa pointe.

Dans l'affaire Weinstein, la pointe a cédé, d'où l'effondrement de la pyramide, qui a provoqué un effet de domino aux conséquences vertigineuses. L'affaire a fait symptôme car Weinstein était un personnage éminemment singulier et n'importe quel harceleur *en même temps*.

On peut s'étonner à bon droit de l'explosion, soudain, d'une telle bombe atomique, dont les cendres n'arrêtent pas de retomber en pluie sur le monde. L'affaire Weinstein est en réalité la goutte d'eau qui a fait déborder un vase saturé de scandales quotidiens, pour la plupart ignorés, affectant les femmes du monde entier dans leur vie de tous les jours. Or c'est bien ainsi que naissent les révoltes. Lorsque la coupe est pleine.

Elle ne s'est pas remplie en un jour. Si la pratique est millénaire, elle a été très tardivement isolée et identifiée juridiquement. Aux États-Unis, le terme de «harcèlement sexuel» n'est apparu que dans les années 1970. Il sera entériné par le livre de la juriste Catharine MacKinnon, *Sexual Harassment of Working Women*, publié par Yale University Press en 1979, qui constitue un tournant[5].

En 1991, l'affaire Anita Hill marque le deuxième tournant. Le juge Clarence Thomas venait d'être proposé à la Cour suprême par George Bush. Mais lors des audiences devant le Sénat, Anita Hill, avocate, l'avait accusé de harcèlement sexuel alors qu'il était son superviseur. Le scandale considérable provoqué par ce témoignage et la tornade médiatique subséquente n'empêchèrent pas l'impétrant d'être confirmé par le Sénat. Ce qui a certainement dû réjouir Élisabeth Badinter, qui donnait le ton en France, dans un article où elle déclarait : «À l'instar des sorcières du XVIIe siècle, ce que l'on reproche au juge Thomas est d'avoir eu des désirs sexuels et de les avoir exprimés[6].»

D'innombrables affaires marqueront les deux décennies suivantes. Elles ne seront pas toujours connues du grand public, en vertu de ces accords financiers de non-divulgation (*non disclosure agreement*) parfois conclus entre le harceleur et sa victime. Ces clauses, parfaitement légales, figurent dans les contrats des compagnies privées, officiellement pour éviter les lourdeurs d'un procès public et protéger la victime présumée. À titre d'exemple, le commentateur Bill O'Reilly, qui a eu maintes fois recours à cette procédure de confidentialité avec l'aval de sa chaîne Fox News, a versé la somme record de 32 millions de dollars à sa collègue Lis Wiehl en janvier 2017 en échange de son silence. Cette négociation, révélée par le *New York Times* en octobre de la même année, en pleine affaire Weinstein, provoquera le retrait de tous les sponsors de son émission et le renvoi définitif de Bill O'Reilly. Depuis l'affaire Weinstein, un projet de loi interdisant ce type d'accord est à l'étude[7].

En France, le délit de harcèlement sexuel est introduit en 1992 dans le Code pénal grâce à l'article 222-33. Yvette Roudy a raconté la genèse de ce fameux article : « Lorsque je l'ai proposé au groupe socialiste, la première réaction a été : "Tu ne vas pas nous empêcher de draguer. Nous ne sommes pas aux États-Unis." […] Je leur ai expliqué. Le harcèlement dans l'entreprise, l'abus de pouvoir, l'exploitation. S'il n'y avait pas eu la dimension hiérarchique, le groupe n'aurait pas accepté, craignant de sanctionner la drague[8]. »

En 2011, l'affaire du Sofitel de New York, puis la mise en examen de DSK pour « proxénétisme aggravé en bande organisée », allaient encourager les associations féministes à revenir à la charge pour que la loi soit précisée et améliorée. Elle l'est par celle du 6 août 2012.

L'ébranlement causé par l'affaire Strauss-Kahn n'a pas diminué pour autant le sentiment d'impunité de nombreux hommes. En 2016, Denis Baupin est accusé par quatre femmes de harcèlement sexuel. Le procureur reconnaîtra que « les faits dénoncés, aux termes de déclarations mesurées, constantes et corroborées par des témoignages, sont pour certains d'entre eux susceptibles d'être qualifiés pénalement. Ils sont cependant prescrits[9] ». Si bien que Denis Baupin ne sera pas renvoyé devant le tribunal. En janvier 2017, l'Assemblée adopte un projet de loi pour doubler les délais de prescription pénale de dix à vingt ans pour les crimes (comme le viol) et de trois à six ans pour les délits de droit commun (comme le harcèlement).

Lorsque l'affaire Weinstein éclate en octobre 2017, de chaque côté de l'Atlantique, le fruit est mûr. Mais qui aurait pu prévoir son retentissement et ses répercussions ? Absolument personne.

L'affaire Weinstein a fait césure. Il y a bien un avant et un après-Weinstein. Mais le soulèvement historique des femmes va-t-il pour autant initier un changement durable et en profondeur de la société ? La brèche soudainement ouverte ne risque-t-elle pas de se refermer dans l'indifférence et la révolution amorcée se perdre dans les sables ? Doit-on craindre un *backlash* (contrecoup) de cette libération de la parole, ou plutôt, comme y insiste à raison Geneviève Fraisse, de cette *prise* de parole ? Après tout, la révolution se définit aussi comme un mouvement circulaire avec retour au point de départ...

Alors, l'après-Weinstein, révolte ou révolution ? Dans *Les Misérables*, Victor Hugo établit la différence entre une émeute et une insurrection. Il faudrait reproduire la dizaine de pages admirables qu'il y consacre. Contentons-nous de citer ceci : « Il y a l'émeute, et il y a l'insurrection ; ce sont deux colères ; l'une a tort, l'autre a droit. » La première se compose « de rien et de tout », c'est une « force qui erre ». La seconde est d'un autre ordre : « L'insurrection est l'accès de fureur de la vérité. » Le tout est de savoir ce que deviennent les insurrections. « Il y a les insurrections acceptées qui s'appellent révolutions ; il y a les révolutions refusées qui s'appellent émeutes. Une insurrection qui éclate, c'est une idée qui passe son examen devant le peuple. Si le peuple laisse tomber sa boule noire, l'idée est fruit sec, l'insurrection est échauffourée [10]. »

Il ne fait pas de doute que le mouvement #MeToo est cet « accès de fureur de la vérité » d'autant plus audible et retentissant qu'il a éclaté dans l'Amérique trumpiste de la « post-vérité » et qu'il a été porté, ironiquement, par des actrices, dont le métier consiste à nous faire croire aux fictions qu'elles incarnent. Impossible de se tromper sur la *tonalité* de l'événement et sa massive authenticité. La vitesse de l'information a donné un caractère mondial à cette insurrection. Reste à ne pas laisser tomber la boule noire, afin que le mouvement puisse se transformer en véritable révolution. Ce n'est pas gagné.

C'est pour contribuer à l'élan parti de l'automne 2017 que je propose ici quelques réflexions éparses, dont le cadre et l'objet excèdent de beaucoup le scandale lui-même. Elles pourraient se résumer à une question : comment en est-on arrivé là et, surtout, comment en sortir ? En d'autres termes, qu'est-ce que l'affaire Weinstein nous enseigne sur le rapport des hommes et des femmes, du sexe, de l'argent et du pouvoir, du féminisme et du patriarcat ? Qu'a-t-on fait de la révolution sexuelle ? Comment analyser l'incroyable longévité de l'omerta qui a pesé partout ? Autant de questions qui exigent de revisiter un certain nombre de concepts ou d'expressions clés, qui tournent en boucle dans les discours et sur lesquels il existe des bibliothèques entières : drague, séduction, harcèlement, culture du viol, patriarcat, domination masculine, victimisation, consentement, délation, politiquement correct, galanterie bien évidemment *à la française*, puritanisme invariablement *à l'américaine*...

Il y a une autre raison à cette incursion dans l'histoire immédiate. Depuis douze ans, je vis la majeure partie de l'année aux États-Unis et l'autre en France. Je partage mon temps entre deux sociétés qui ont souvent du mal à se parler et à se comprendre, prises qu'elles sont dans un entrelacs de fascinations et de complexes, de désirs et de répulsions, de sentiments de supériorité et de mépris. Cette attirance et cette méfiance réciproques se soldent le plus souvent par une série de jugements à l'emporte-pièce, d'un côté comme de l'autre. C'est peu dire qu'à cet égard la question du harcèlement sexuel et la façon de le combattre ou de le juger divisent les deux nations. Malgré la différence des logiques, il y a de chaque côté de l'Atlantique des arguments propres à faire avancer un débat contradictoire, auquel j'aimerais faire profiter ma position d'agent double.

Le format de ce livre l'indique : ces réflexions, sont davantage des pistes que des développements fouillés. C'est un texte plein de raccourcis inévitables, écrit au galop, où je lance des hypothèses comme on jette des cailloux sur le chemin. Je m'interroge tout haut. Je pose des questions auxquelles, souvent, je n'ai pas de réponse. J'invite au dialogue et à la contradiction.

Ceci n'est pas un livre sur l'affaire Weinstein, mais bien sur l'après-Weinstein, ses retombées, et ce que nous sommes libres d'en faire aujourd'hui (ou pas). Je mesure très bien, en tant qu'historienne, les risques d'écrire un livre d'intervention en pleine actualité. Je les assume parce que je crois que contribuer à la conversation démocratique vaut mieux que de rester dans son coin.

II

Galanterie à la française
et puritanisme américain

Le 7 janvier 2018, soit trois mois après le déclenchement de l'affaire Weinstein, Oprah Winfrey, célèbre animatrice et productrice de télévision, actrice et éditrice, née d'une mère célibataire dans un milieu très défavorisé, devient la première femme noire à recevoir aux Golden Globes le Cecil B. DeMille Award, couronnant l'ensemble d'une carrière. Lors d'un discours de près de dix minutes, où elle associe l'histoire du racisme, des inégalités sociales et du harcèlement sexuel, rend hommage à la presse, à quelques figures des droits civiques et aux actrices ayant eu le courage de parler, elle promet une nouvelle ère, où plus personne n'aura à dire « *me too* ».

Comme toutes les femmes présentes, Oprah Winfrey porte une robe noire en signe de protestation contre le sexisme et les inégalités raciales. Ce symbole vestimentaire a été proposé par *Time's up* – «C'est fini» ou «Ça suffit» –, association créée par Hollywood le 1er janvier 2018 pour lutter contre le harcèlement et les inégalités au travail, de l'usine à l'université, de la ferme à l'industrie, qui a déjà levé 15 millions de dollars. Intitulée «Dear Sisters», la déclaration d'intention de *Time's up*, née à la suite d'un message de solidarité envoyé aux actrices par un syndicat représentant 700 000 agricultrices[11], apporte non seulement son soutien aux femmes agressées sexuellement mais à toutes les femmes exploitées, et réclame notamment une meilleure représentation des femmes de couleur, immigrantes, handicapées, lesbiennes, transgenres, dont les expériences «sont souvent significativement pires que celles de leurs congénères blanches, cisgenres et hétérosexuelles[12]».

Suivie par des millions de téléspectateurs, la cérémonie des Golden Globes a fasciné un homme en particulier aux États-Unis. Hypnotisé par le spectacle de ces femmes en noir où il reconnaît l'héritage des puritains, il décèle dans l'événement un «moment à la Cromwell», une «menace existentielle» inédite pesant sur Donald Trump et l'avènement possible d'un nouveau «matriarcat», en passe de changer «dix mille ans d'histoire»[13]. Rien de moins. De cet homme détestable à tant d'égards, on peut tout dire sauf qu'il manque d'instinct politique. C'est Steve Bannon. Je ne sais pas si Steve Bannon a raison. Je constate seulement que, quand les femmes se rassemblent, se solidarisent et donnent de la voix, cela porte. Cela inquiète, même.

Le lendemain de la cérémonie, qui a relancé et plébiscité la possibilité d'une candidature d'Oprah Winfrey à l'élection présidentielle de 2020, une tribune intitulée «Nous défendons une liberté d'importuner, indispensable à la liberté sexuelle[14]» paraît dans *Le Monde*. Le texte s'ouvre sur cet *incipit*, disons, déjà douteux: «Le viol est un crime. Mais…»

Tout en reconnaissant la légitimité d'une prise de conscience des violences sexuelles, le texte insiste sur les effets supposément désastreux de la libération de la parole et du mouvement #MeToo: la «campagne de délations», la «vague purificatoire» et la «fièvre à envoyer les "porcs" à l'abattoir» instaureraient un «climat de société totalitaire», où les femmes, victimisées, seraient réduites à «de pauvres petites choses sous l'emprise de phallocrates démons». Rejetant «ce féminisme» qui «prend le visage d'une haine des hommes et de la sexualité», les signataires réclament donc le maintien d'une «liberté d'importuner» à laquelle les femmes doivent savoir répondre. Et d'affirmer en conclusion: «Les accidents qui peuvent toucher le corps d'une femme n'atteignent pas nécessairement sa dignité et ne doivent pas, si durs soient-ils parfois, nécessairement faire d'elle une victime perpétuelle. Car nous ne sommes pas réductibles à notre corps. Notre liberté intérieure est inviolable. Et cette liberté que nous chérissons ne va pas sans risques ni responsabilités.» Suivent les noms de cent signataires, essentiellement issues du milieu de la culture, parmi lesquels ceux de Catherine Millet, Catherine Robbe-Grillet, Élisabeth Lévy, Brigitte Lahaie, Ingrid Caven et, surtout, Catherine Deneuve, dont la notoriété internationale allait bientôt tout recouvrir. Dès lors, on ne parlera plus que de la «tribune Deneuve».

En à peine vingt-quatre heures, les médias ont donc pu concrètement identifier le fossé entre les États-Unis et la France, dont ces deux événements, certes différents de nature et de diffusion, constituent l'exemple parfait, pour ne pas dire caricatural. D'un côté, un collectif issu du monde du divertissement, représenté par une star noire née dans la misère et la violence de l'Amérique raciste, solidaire d'une association incluant toutes les professions, les origines sociales et ethniques, les identités et les orientations sexuelles. De l'autre, un petit groupe d'intellectuelles (écrivaines, psychanalystes, journalistes, historiennes de l'art, philosophes, enseignantes, etc.) et de professions libérales (entrepreneuses, responsables marketing, médecins, etc.) ainsi que de quelques artistes et actrices, représentantes, à l'écrasante majorité, d'une certaine intelligentsia hétérosexuelle blanche. D'un côté, la dénonciation d'un système politique et d'une structure d'oppression appelant un sursaut collectif, militant et organisé; de l'autre, la revendication bourgeoise d'une liberté individuelle face aux «accidents» de la «galante-rie» et aux «risques» du libertinage.

Si les opinions américaine et française ne sont bien sûr pas réductibles à cette opposition de deux élites (Hollywood et Paris) qui sont aussi des espaces symboliques de pouvoir, la quasi-simultanéité de leurs déclarations cristallise de façon saisissante un décalage idéologique dont les racines sont lointaines et profondes. Il révèle en réalité deux conceptions du monde et deux men-talités, notamment en matière de mœurs, dont un débat, né en 1995, a révélé les principaux enjeux. Reprenons.

Toute nation se construit sur des mythes. Par mythe, j'entends une «représentation tradition-nelle, idéalisée et parfois fausse», «une construc-tion de l'esprit (…) qui donne confiance et incite à l'action [15]». Toute nation a *besoin* de mythes. Un mythe n'est pas nécessairement une totale chimère. Il peut être fondé sur des éléments tangibles bien qu'il relève, fondamentalement, de l'imaginaire. Cet imaginaire est partagé, collectif, en partie inconscient. D'où sa propension à être considéré comme naturel et fondateur.

La France a fait de l'art de vivre sa devise et son label pour touristes. Le flou délibéré de cette plai-sante notion englobe la douceur, la gastronomie, la qualité des vins et des arts de la table, l'élégance vestimentaire, le raffinement des mœurs, le com-merce de l'esprit, la courtoisie. L'art de vivre est un *style*. En cela, c'est aussi une tentative de maîtrise du temps. Un brin nostalgique, l'art de vivre est respectueux du passé, de la tradition, un peu méfiant de l'avenir et de ses progrès désordonnés. Le temps qu'il préfère, c'est le présent, celui du feu de la conversation et du plaisir partagé. « On ne vieillit pas à table », dit le proverbe. L'art de vivre est un art de performance.

La galanterie, théorie codifiée de l'amour, constituerait le beau cœur de l'art de vivre et son mythe essentiel. On l'a nommé courtois. On l'a appelé séduction. L'amour, en France, est hétérosexuel. Il suppose une forme d'asymétrie consentante : l'homme propose, la femme dispose. Dans ce monde magique de la vie privée (privée de quoi ? m'a un jour demandé ma psychanalyste), la femme exercerait sa subtile influence. Son règne de l'ombre compense la nullité dont elle est frappée dans la sphère publique. Indéfiniment considérée comme mineure, en particulier par la loi matrimoniale (jusqu'en 1965), elle conquiert péniblement le droit de vote en 1944, après, dans l'ordre – l'énumération est fastidieuse, mais révélatrice –, la Nouvelle-Zélande (1893), l'Australie (1901), la Finlande (1906), la Norvège (1913), le Danemark et l'Islande (1915), la Russie (1917), l'Arménie, la Hongrie, le Canada, le Royaume-Uni, la Tchécoslovaquie, la Pologne, la Roumanie, la Géorgie, l'Azerbaïdjan, l'Autriche, l'Allemagne (1918), les Pays-Bas, le Luxembourg, la Belgique, la Suède (1919), l'Albanie, les États-Unis (1920), la Mongolie (1924), l'Inde, le Liban (1926), l'Uruguay

(1927), l'Équateur (1929), l'Afrique du Sud, la Turquie, la Grèce (1930), le Portugal, le Sri Lanka, l'Espagne (1931), la Thaïlande, les Maldives, le Brésil (1932), Cuba (1934), la Birmanie, les Philippines (1935), la Bolivie, l'Ouzbékistan (1938), le Salvador (1939), Panama (1941), la République dominicaine (1942) et la Bulgarie (1944). Il faut attendre la loi Neuwirth en 1967 pour le droit à la contraception et la loi Roudy en 1983 pour interdire toute discrimination en raison du sexe – disposition intégrée sous le Titre VII dans la Constitution américaine dès 1964.

En 1995, Mona Ozouf publie *Les Mots des femmes. Essai sur la singularité française*, dont le dernier chapitre théorise cette galanterie nationale, faite d'un commerce entre les sexes « apaisé » et d'une mixité heureuse, à l'opposé d'un modèle anglo-saxon, séparatiste et belliqueux. Cette ode à l'universalisme et à une différence des sexes bien comprise, mélange paradoxal des salons du XVIIIe siècle et de l'idéal républicain, érige la France en pays de Cocagne des relations hétérosexuelles, où la conciliation et l'ironie déjouent sans efforts les agressivités du « féminisme à l'américaine », dont elle moque et déplore les crispations.

Le livre fait polémique, comme en rend compte un dossier spécial de la revue *Le Débat*, où Michelle Perrot regrette que « la douce et plaisante histoire » contée par Mona Ozouf soit une « histoire sans affrontements, quasiment sans agents[16] », qui ignore les luttes politiques collectives et cède aux mystifications de l'universalisme. L'historienne Joan Scott, qui s'élève vigoureusement contre un « livre pétri de contradictions » et plein de « rage » contre le féminisme américain, lui reproche, entre autres, de mettre de côté la question essentielle : « Pourquoi la différence sexuelle est-elle devenue un marqueur essentiel de la différence à l'âge de la démocratie [17] ? »

Cette question est cruciale. Fondement de la séduction à la française et de l'ordre symbolique édicté par Lacan, la différence des sexes, « butoir ultime de la pensée » (Françoise Héritier), est surtout une obsession nationale, dont l'effet est non seulement de naturaliser mais de justifier l'inégalité. Elle est à l'origine de la résistance aux études de genre, et au cœur même de l'idéologie de la Manif pour tous.

En 2011, la polémique est relancée avec l'affaire Dominique Strauss-Kahn, accusé d'agression sexuelle, tentative de viol et séquestration par Nafissatou Diallo, femme de chambre à l'hôtel Sofitel de New York, où le patron du FMI passait la nuit. Malgré la consternation internationale, la France se distingue à nouveau. Bernard-Henri Lévy s'offusque de voir ce « charmeur, ami des femmes [18] » traité en vulgaire accusé de droit commun, Jean-François Kahn glousse sur France-Culture à propos d'un simple « troussage de domestique », Ivan Levaï (premier mari d'Anne Sinclair) soutient qu'une femme ne peut pas être violée à moins d'avoir un pistolet sur la tempe, Jack

Lang balaie le problème en précisant qu'«il n'y a pas mort d'homme». Quant à Marcela Iacub, qui a entamé dans les mois qui ont suivi une relation clandestine avec Dominique Strauss-Kahn tout en commentant les développements de l'affaire dans *Libération*, elle va interroger en douce Anne Sinclair, qui lui aurait innocemment confié: «Il n'y a aucun mal à se faire sucer par une femme de ménage[19].»

L'affaire DSK a révélé une contradiction majeure dans l'imaginaire français. Tout en rapportant les détails sordides du viol présumé au Sofitel, puis de ses partouzes à Lille et de ses «rapports inappropriés» depuis la nuit des temps, les médias s'acharnent à parler de DSK comme d'un «séducteur» et d'un homme «qui aime les femmes[20].» Drôle de façon d'envisager la séduction. Galanterie et troussage de domestique, même combat? Était-ce donc cela notre délicat commerce entre les sexes, héritier de l'amour courtois et des salons du XVIIIe siècle? Dodo la Saumure chez Mme du Deffand?

Si l'affaire DSK a, au mieux, ébranlé la valence de la théorie de la séduction, elle n'a pas changé en profondeur les comportements, le sentiment d'impunité, ni le lexique. Pour sa défense contre les femmes qui l'ont accusé de harcèlement sexuel en 2016, Denis Baupin, qui n'en est pas à une indécence près, a tantôt parlé de «séduction réciproque», tantôt de «libertinage incompris»[21]. Le mythe a bon dos.

Le mur dont la surface ne s'était qu'écaillée avec le scandale DSK s'est finalement fissuré avec l'affaire Weinstein. Du séducteur à l'importun ou à l'agresseur, le fossé s'est soudain amenuisé, si bien que l'usage du mot séduction, cache-sexe de l'abus de pouvoir, a enfin été remis en question. Il est d'ailleurs très remarquable que la France ait choisi le hashtag #BalanceTonPorc contre un plus mesuré et plus logique #MoiAussi, adopté par le Canada, qui eût très bien fait l'affaire[22]. Comme si le «séducteur» français devait soudain être sanctionné et *animalisé* avec la violence dégradante qui convient aux coupables protégés par la complaisance d'un système. L'agressivité de la formule sonne curieusement comme le glas de représailles trop longtemps différées. Je remarque par ailleurs que les plus sourcilleux et les plus critiques ne sont pas nécessairement ceux qui rechignent aux insultes, à l'image d'Alain Finkielkraut, outré par le hashtag français, et proférateur du fameux «Pauvre conne!» lors d'une Nuit debout.

Au registre du vocabulaire, on observera également la confusion répandue et très dommageable, notamment dans la bouche du président de la République qui se pique d'avoir des lettres, des mots «délation» et «dénonciation». Faut-il rappeler que la délation est une «dénonciation dictée par des motifs vils et méprisables», quand la dénonciation est «l'action de faire connaître une chose (généralement désagréable)»? Quel rapport y a-t-il entre livrer son voisin juif à l'occupant – car il est bien évident que la référence est à chercher dans la hantise nationale – et signaler un comportement qui porte atteinte aux personnes ? Cette allergie française au rôle de «*whistle blower*» (lanceur d'alerte) ou tout ce qui pourrait s'y apparenter, a même poussé Bruno Le Maire, ministre de l'Économie et des Finances, à déclarer sur France Info qu'il ne dénoncerait pas un harceleur – avant de rétropédaler devant la tempête déchaînée sur les réseaux sociaux[23].

C'est dans ce contexte historique et culturel qu'il faut entendre la (partielle) dissidence française face au mouvement #MeToo. Elle s'inscrit dans une longue tradition idéologique, pétrie d'antiaméricanisme et barricadée derrière le mythe de la séduction nationale. S'il est bien évident que tous les «séducteurs» ne sont pas des «porcs», le mythe de la séduction à la française sert à couvrir un impensé politique et à faire écran à des problèmes de subordination trop longtemps ininterrogés. «Trois Français sur quatre ne distinguent pas harcèlement, blagues salaces et séduction. Et vous ?[24]», titrait *Le Monde*, quasiment en manière de preuve, quelques jours après le début de l'affaire Weinstein. Trois quarts de beaufs, ça fait tout de même beaucoup au pays de la galanterie.

Las ! À peine l'affaire Weinstein avait éclaté, le débat sur l'exception culturelle par rapport au mouvement #MeToo a été relancé comme en 14. Les mêmes noms qu'en 1995 et 2011 ont refait surface. Claude Habib et Irène Théry, soutiens de la thèse de Mona Ozouf, persistent et signent. La première en rappelant qu'il «y a toujours un sexe vulnérable, c'est ainsi, ça ne sert à rien d'être dans le déni. Or la galanterie est une manière de traiter cette inégalité au bénéfice des femmes» qui «civilisent le désir[25]»; la seconde en reprenant mot à mot sa définition du «féminisme à la française», qui avait jadis fait couler beaucoup d'encre et qui serait «fait d'une certaine façon de vivre et pas seulement de penser, qui refuse les impasses du politiquement correct, veut les droits égaux des sexes et les plaisirs asymétriques de la séduction, le respect absolu du consentement et la surprise délicieuse des baisers volés[26]». Michelle Perrot se dit quant à elle sidérée par «l'absence de solidarité des signataires» de la tribune Deneuve et «leur inconscience des violences réelles subies par les femmes», rappelant à quel point le «féminisme français est (…) englué dans une tradition de "courtoisie" et de "galanterie", qui demande à être déconstruite tant elle dissimule l'inégalité sous les fleurs[27]». Joan Scott, «écœurée» par la tribune mais «pas surprise», y retrouve «l'idéologie conservatrice […] antidémocrate et patriarcale[28]» qu'elle a analysée dans ses travaux et rappelle qu'un féminisme français de l'égalité existe et qu'il est bien vivace.

La tribune Deneuve, qui a interpelé plus qu'elle n'a gagné l'adhésion, a polarisé une partie de l'opinion. Dès publication, le médiateur du *Monde* recevait de nombreux messages de

remerciements au journal ou à «Mme Deneuve».
Mais, dès le lendemain, l'affaire s'enlise. Brigitte
Lahaie déclare sur BFM TV qu'on peut jouir lors
d'un viol, s'attirant la réprobation de plusieurs
des cosignataires[29]. Dans les journaux, la tempête
de protestations grossit, pour dénoncer un texte
déconnecté du réel et méprisant pour les victimes, au point que Catherine Deneuve remet à
Libération un texte où, sans renier la tribune, elle
s'excuse auprès de celles ayant subi des violences
sexuelles.

La tribune Deneuve a été dite générationnelle.
Mais l'éventail des âges, de 37 à 88 ans, dément
cette interprétation. En revanche, nombre de
signataires ont en commun de s'être déjà illustrées
en 2011. Catherine Millet avait été la première à
relativiser le scandale DSK, déclarant notamment:
«Autour de moi, je n'ai entendu personne qui soit
scandalisé par cette affaire, pas même une femme.
Tout le monde a pris ça plus ou moins à la rigo-
lade[30]»; Élisabeth Lévy, à défendre le patron du
FMI; Sophie de Menthon à déclarer à la radio à
propos de Nafissatou Diallo: «Je me demande,
c'est horrible à dire, si ce n'est pas ce qu'il lui est
arrivé de mieux[31]»; Catherine Robbe-Grillet à
en faire une pièce de théâtre... Plus important, la
plupart des signataires ont participé à la révolution
sexuelle ou l'ont accompagnée, dont Catherine
Deneuve, qui a signé en 1971 le «Manifeste des
343 salopes», déclarant «je me suis fait avorter»,
aveu passible de prison à l'époque.

Comment l'attachement revendiqué à la révolution sexuelle, ennemie du patriarcat, peut-il être compatible avec une telle complaisance pour le harcèlement et la sujétion aux hommes ? La liberté de disposer de son corps, le droit à la contraception et à l'avortement, la reconnaissance des sexualités non procréatrices et non conjugales sont autant de conquêtes de l'émancipation féminine. Les résistances politiques sont encore assez nombreuses néanmoins pour freiner l'égalité, notamment en matière de salaires ou de partage des tâches domestiques, comme l'a montré récemment le retour du concept de « charge mentale[32] ». Si bien que la révolution sexuelle a beaucoup profité… aux hommes, dont les relations avec les femmes ont été facilitées, sans pour autant qu'ils perdent leurs privilèges. C'est ici un point aveugle à considérer : si les femmes ont (péniblement) acquis un certain nombre de droits, les paramètres essentiels de la domination masculine sont demeurés les mêmes.

Les travaux de Michel Foucault sur la sexualité ont par ailleurs montré que la réduction des interdits (lois, censure, etc.) est proportionnelle à une augmentation du pouvoir et du contrôle des corps : le « discours libérateur » est un procédé déguisé d'aliénation, de la même façon que les fous, libérés de leurs chaînes grâce à Pinel, se retrouveront au XIXe siècle enchaînés par le discours psychiatrique. Or le trait le plus frappant de la tribune est d'être fondée sur une sexualité féminine inféodée aux pulsions masculines, dont elle révère la toute-puissance. «Une femme peut, dans la même journée, diriger une équipe professionnelle et jouir d'être l'objet sexuel d'un homme», dit le texte. Certes. Mais pourquoi n'avoir pas choisi l'exemple d'une femme de ménage qui jouirait de prendre un homme pour objet sexuel? De la première à la dernière ligne, outre les questions de classe, de race, ou d'orientation sexuelle jamais abordées, le grand absent de la tribune, c'est le désir féminin, exclusivement soumis à celui des hommes et à la «misère sexuelle» des éjaculateurs du métro. Ni échange possible des rôles, ni réciprocité, ni jeu ne sont au programme de cette «liberté d'importuner», érotisme de la domination à sens unique. Ce qui en fait non pas tant un texte scandaleux mais étonnamment rétrograde.

Premières à fustiger l'Amérique de Trump où sévirait l'odieux puritanisme, les signataires sont en réalité parfaitement en phase avec le président américain – pour lequel, rappelons-le, 53 % de femmes blanches ont voté[33]. Après tout, Trump est un homme à l'ancienne comme elles les aiment, dont la réputation de play-boy n'est plus à faire, toujours prêt à faire un compliment aux femmes et à passer à l'action quand l'occasion se présente. Il les «attrape par la chatte», geste peut-être un peu déplacé mais au fond sans gravité, signe, après tout, de cette fameuse «liberté d'importuner, nécessaire à la liberté sexuelle». Quant aux dix-neuf femmes qui l'accusent de remarques obscènes et de harcèlement sexuel, elles feraient mieux de savoir se défendre et de passer à autre chose plutôt que d'afficher cette «haine des hommes» et de livrer à la vindicte publique un dragueur certes un peu lourd mais qui n'a de cesse de rendre hommage à leur corps.

Le soutien aussi appuyé qu'embarrassant de Silvio Berlusconi, saluant les «saintes paroles[34]» de Catherine Deneuve, vient à l'appui de cette logique. Les propos de Nadine Morano (comme quoi être importunée «peut déboucher sur une belle histoire»), de la lepéniste Brigitte Bardot, qualifiant les actrices d'«allumeuses» et le mouvement #MeToo d'«hypocrite, ridicule» ont contribué à charger une barque au bord du naufrage. Et confirme un fait maintes fois observé: l'exception française ne serait-elle pas, tout simplement, une forme de ringardise déguisée en provocation libertaire?

Plus ça change, moins ça change? Non. L'affaire Weinstein a justement montré pour la première fois – d'où le malaise grandissant – les proportions inédites et bien réelles d'un problème *systémique* et d'une prise de conscience globale. Car les chiffres sont, hélas, sans appel.

En France, 99 % des personnes condamnées pour des faits de violences sexuelles sont des hommes, 85 % des victimes sont des femmes. Parmi les personnes condamnées pour violences sur leur partenaire, 96 % sont des hommes. Une femme meurt tous les trois jours sous les coups de son compagnon. Le sujet des violences domestiques, notamment depuis l'affaire Bertrand Cantat, a pris beaucoup d'ampleur ces derniers temps dans la presse. Le viol, qui touche une femme sur cinq en France comme aux États-Unis, en fait partie : 33 % des viols commis sur des femmes sont le fait d'un (ex)-partenaire[35], un chiffre qui monte à 47,1 % aux États-Unis[36]. L'enquête la plus récente en la matière estime à 117 000 le nombre de personnes adultes victimes de viol ou de tentative de viol chaque année en France. Seulement 9 % des victimes portent plainte. En 2015, 1 048 condamnations ont été prononcées. Ce qui porte donc à moins de 1 % les cas où justice a été rendue[37]. Ce chiffre est, proportionnellement, identique aux États-Unis.

Les violences sexuelles se commettent dans l'espace public, à la maison mais aussi au travail. Que ce soit en France ou aux États-Unis, entre 20 % et 30 % de femmes en moyenne déclarent avoir été victimes de harcèlement sexuel au cours de leur vie professionnelle, une ou plusieurs fois. Par ailleurs, on estime à 30 % le nombre de victimes qui n'en parlent jamais à personne. Les raisons de ces sous-déclarations sont nombreuses : peur de perdre son emploi, honte intériorisée, volonté de préserver sa famille, crainte des mesures de rétorsion, intimidation, etc. Alors qu'aux États-Unis les entreprises sont dans l'obligation de protéger leurs employé.e.s, en France 82 % des employeur.e.s n'ont mis aucune action de prévention en place (accord d'entreprise, procédure d'alerte, actions de formation etc.). Porter plainte est un parcours du combattant, le plus souvent décourageant : dans 40 % des cas rapportés en France, la résolution s'est effectuée au détriment de la plaignante (non-renouvellement de contrat, blocage dans la carrière), et dans 40 % des cas, une mesure a été prise contre l'auteur (sanction, mutation, licenciement). Seuls 5 % des cas ont été portés devant la justice[38], chiffre curieusement comparable aux États-Unis (6 %), où 75 % des femmes ayant porté plainte auraient été victimes de représailles. Certaines professions sont plus touchées que d'autres, comme la restauration et les métiers de service[39]. Les risques d'être agressées ou violées sont deux fois plus importants parmi les Amérindiennes et sensiblement plus élevés parmi les personnes transgenres[40], soulignant l'articulation des violences sexuelles au racisme et à l'hétéronormativité.

Pour être alarmant, ce survol de la situation transatlantique pose, entre autres, une question : comment se fait-il que deux pays aux traditions culturelles et juridiques si différentes se retrouvent dans des situations analogues et pareillement inquiétantes ?

Personnellement, je ne connais pas de société plus légaliste que la société américaine. Du matin au soir, même dans une ville à la fois tentaculaire et démembrée comme Los Angeles, les lois et les règles vous sont rappelées en permanence :

interdiction de traverser en dehors des passages piétons (au risque de recevoir une amende entre 190 dollars et 260 dollars), interdiction de boire de l'alcool avant 21 ans – le contrôle d'identité est obligatoire –, interdiction de fumer et de promener son chien sur la plage, j'en passe. Toutes les sociétés édictent ce type de contraintes. Mais je ne connais pas de pays, à part peut-être la Suisse, où la loi soit à ce point rappelée et si strictement appliquée. Inutile de préciser que les tricheurs et autres doubleurs de files d'attente ne sont pas *du tout* les bienvenus.

Les démarches de la vie quotidienne sont par ailleurs affectées par une judiciarisation croissante. Que ce soit aux urgences des hôpitaux ou chez le dentiste où vous vous rendez, tordu.e de douleur, pour une rage de dents, on vous demandera d'abord, avec votre carte de crédit, de remplir une paperasse exponentielle, destinée à couvrir juridiquement le praticien en cas de litige. Cette obsession tourne au ridicule dans les publicités pour les médicaments à la télévision, où les laboratoires pharmaceutiques sont désormais dans l'obligation de décliner *tous* les effets secondaires possibles de leurs produits vendus sur ordonnance. Résultat : à peine apprend-on que tel médicament soulage, mettons l'arthrose, qu'il faut endurer l'énumération, en accéléré, de tous les risques qu'il présente – de la fatigue passagère à la crise cardiaque pouvant entraîner la mort. Difficile de faire plus contre-productif…

L'échec à endiguer le harcèlement sexuel, que ce soit dans les entreprises ou sur les campus universitaires[41], vient en partie de ce problème structurel et endémique : le plus souvent, la loi – ou plutôt la façon dont elle est interprétée et mise en pratique sous forme de politiques administratives et de règlements – ne protège pas les *personnes* mais les *institutions*. Mieux que d'analyser la réalité des situations et la souffrance des individus dans un esprit de justice, les conseils d'administration privilégient ce que l'on appelle en anglais : *liability management* ou gestion des dommages potentiels. Cette expression vient – ce n'est pas un hasard – de la finance. On mésestime toujours à quel point la morale sert d'alibi à une couverture financière. Combien de fois ne me suis-je pas retrouvée à l'étranger sans pouvoir utiliser ma carte bancaire, bloquée d'office ? La banque répond invariablement, avec ce ton robotique qui décuple l'énervement, que c'est « pour des raisons de sécurité » et pour mon « propre bien ». La réalité est que cela entrave ma vie quotidienne et me fait perdre un temps infini, mais que la banque, *elle*, ne prend aucun risque.

Que ce soit à travers les clauses de confidentialité dans les contrats privés (dont a largement bénéficié Harvey Weinstein) ou l'invraisemblable machinerie administrative attachée au fameux Titre IX[42] dans les universités, le système a prouvé son inefficacité à défendre les victimes de harcèlement au profit de la protection institutionnelle – en gros : peu importe le bien-être des employé.e.s, pourvu que l'entreprise soit officiellement en règle et rentable. Si bien qu'un pays surjudiciarisé comme les États-Unis aboutit à des résultats comparables à ceux d'un pays comme la France *a priori* bien moins armé légalement quant à ces questions. La remarquable enquête du *New York Times* sur les ouvrières des usines Ford à Chicago[43] victimes de harcèlement a montré à quel point le problème était non seulement systémique mais endémique. Dans les années 1990, une série de procès menée par la Commission pour l'égalité des chances (*Equal Employment Opportunity Commission*), une agence fédérale chargée de lutter contre la discrimination au travail (soit le harcèlement), avait abouti à un accord d'un montant de 22 millions de dollars. Les choses s'étaient tassées pendant quelques mois, avant de revenir exactement au point de départ – commentaires graveleux, mains aux fesses, ouvrières harcelées, propositions sexuelles contre avancement dans la carrière, etc. En 2017, un nouvel accord sera trouvé, d'un montant de 10 millions de dollars.

La gestion des dommages potentiels, ayant pour fonction de protéger une institution coûte que coûte au mépris des victimes, produit de véritables tragédies. L'affaire Larry Nassar, du nom de ce médecin de l'équipe américaine de gymnastique, ostéopathe à l'université du Michigan, ayant pratiqué des attouchements ou violé sous prétexte de soins médicaux des centaines de très jeunes gymnastes (dès l'âge de 6 ans) sur plusieurs décennies, en est l'exemple le plus accablant. Après un procès homérique, où 156 victimes se sont succédé à la barre, et un verdict sans appel (cent soixante-quinze ans de prison), une enquête, toujours en cours, détermine le niveau de complicité des institutions concernées. Pour l'heure, l'université du Michigan, maintes fois alertée par le passé, a accepté de payer 500 millions de dollars de dommages et intérêts aux 332 jeunes femmes qui ont porté plainte, soit une moyenne de 1,28 million par victime. Le comité olympique des États-Unis, la fédération américaine de gymnastique (dont tous les membres du conseil d'administration ont démissionné) et les entraîneurs Béla et Márta Károlyi, qui ont volé de succès en victoires pendant quinze ans au prix d'un « environnement émotionnel abusif [44] », attendent leur verdict.

Ce procès, retransmis à la télévision, a constitué un moment proprement dramatique de l'après-Weinstein. La monstruosité du crime, son étendue dans le temps et le silence des institutions donnaient à voir, au grand jour et de façon superlative sur la scène d'un tribunal, la structure même de l'abus de pouvoir au cœur des violences sexuelles, *a fortiori* sur des enfants. Son impact a reposé sur le courage poignant des jeunes filles à témoigner, certaines en larmes, d'autres n'hésitant pas à défier du regard leur bourreau, et sur la personnalité de la juge Rosemarie Aquilina, qui s'est très nettement prononcée dans le débat. D'une part, en autorisant autant de jeunes filles qui le souhaiteraient à venir à la barre – 88 étaient prévues, elles seront finalement près du double à parler. D'autre part, en n'hésitant pas à donner son opinion et signifier son dégoût à l'accusé qui s'excusait sans convaincre. Au moment de conclure, elle a lu une lettre que Nassar avait écrite quelques mois auparavant, arguant que ces actes médicaux étaient incompris et qu'il était la cible de menteuses. « Cette lettre me montre que vous n'avez toujours rien compris », dit la juge. Et le regardant après une pause : « Je ne vous enverrai même pas mes chiens, monsieur. » La sentence prononcée, elle ajouta : « Je viens de signer votre arrêt de mort[45] ».

Certains ont reproché à la juge d'avoir fait des « commentaires inhabituels », voire d'être sortie de son rôle. C'est une remarque intéressante. Car en sortant prétendument de son rôle, la juge a permis de réparer quelque chose dans ce désastre. Les victimes, de leur propre aveu, se sont senties écoutées *pour la première fois*. En fermant les yeux, les institutions étaient très certainement, elles, restées dans leur rôle : assurer la réussite de la gymnastique américaine, au prix de crimes en série.

À peine l'affaire Nassar était-elle close, qu'un autre scandale éclatait en mai 2018 à l'université de Californie du Sud (USC), au sujet du Dr George Tyndall, gynécologue. Le médecin était visé par des plaintes depuis la fin des années 1980. Mais, couvert par sa hiérarchie, il avait pu continuer à exercer, jusqu'à ce qu'un accord secret avec l'administration lui permette de prendre une retraite anticipée sans faire de bruit en 2016. Le Dr Tyndall pratiquait des examens pelviens qui sortaient de l'ordinaire, notamment en introduisant un ou deux doigts dans le vagin de ses patientes, souvent sans gants, soi-disant pour savoir si le spéculum passerait bien. Ses commentaires sur l'élasticité des muscles vaginaux, la forme des seins de ses patientes ou ses jugements sur leur vie sexuelle avaient à la longue écœuré une infirmière, qui a prévenu le centre de crise sur le viol à l'université.

Le Dr Tyndall avait une préférence avouée pour les étudiantes asiatiques. Pour la plupart d'entre elles, le rendez-vous chez le gynécologue était le premier. Elles n'étaient pas au courant des pratiques aux États-Unis et n'osaient pas se manifester. Mais le scandale a fini par éclater. Il est d'autant plus retentissant que l'USC mène une politique très agressive pour recruter des étudiant.e.s chinois.e.s, prêt.e.s à payer des fortunes pour réussir aux États-Unis, si bien que l'affaire a pris un tour diplomatique des plus embarrassants, la Chine ayant exprimé officiellement sa réprobation. Pourquoi l'USC a-t-elle protégé le Dr Tyndall pendant tant d'années ? Pourquoi étouffer le scandale coûte que coûte plutôt que de le régler quand il est encore temps ? L'enquête le dira. Comme une autre enquête a montré que le doyen de l'école de médecine avait été maintenu pour ses capacités à lever des fonds pour l'université, alors qu'il partageait de la drogue avec des jeunes gens sur le campus, organisait des parties fines avec des mineur.e.s et des prostituées (dont une fera une overdose). Il avait finalement été remplacé en 2016 par un homme dont on a découvert qu'il avait été, quinze ans auparavant, accusé de harcèlement sexuel... Il y a définitivement quelque chose de pourri au royaume de Danemark.

Lorsque l'affaire Tyndall a éclaté, une pétition signée par 200 membres de la faculté a réclamé le départ du président de l'université, C. L. Max Nikias. Mais le conseil d'administration a unanimement renouvelé sa confiance à cet exceptionnel leveur de fonds, qui a récemment mené tambour battant une campagne (réussie) à hauteur de 6 milliards de dollars et propulsé en quelques années l'USC à la 21ᵉ place du classement des universités dans le monde. Nikias se résoudra à démissionner le 25 mai 2018, le jour de l'arrestation de Harvey Weinstein. Au 30 mai, alors que des centaines de témoignages continuaient de s'accumuler sur la hotline ouverte par l'université, le LAPD (*Los Angeles Police Department*) examinait déjà 52 plaintes tandis que 27 procès étaient intentés par d'anciennes patientes contre l'USC[46]. Le 11 juin, le ministère de l'Éducation décide de lancer une enquête, qui devra déterminer pourquoi aucun élément n'avait jamais filtré sur cette affaire lors des deux autres enquêtes fédérales sur le harcèlement à l'USC, menées en 2010 et 2015[47]. À cette question, s'en ajoute une autre, plus générale et au moins aussi troublante : pourquoi l'intérêt financier de l'université serait-il – apparemment – incompatible avec la protection des étudiant.e.s ?

Si l'on peut espérer quelque chose de l'après-Weinstein, ce serait d'inciter au renouvellement en profondeur de ce débat sur l'arsenal juridique et sa mission réelle dans la lutte contre le harcèlement sexuel – débat très vif et en cours depuis longtemps dans les universités. L'attitude personnelle de Donald Trump, lui-même accusé de harcèlement et protégeant sans vergogne les hommes de son administration accusés de violences conjugales, combinée à la politique extrêmement conservatrice de Betsy DeVos, sa secrétaire à l'Éducation, laisse pourtant augurer que la route risque d'être longue et chaotique.

III

Le syndrome Ansari ou le problème de la «zone grise»

Le 13 janvier 2018, paraît sur le site Babe.net, sous le pseudonyme de «Grace», le témoignage d'une jeune photographe de 23 ans racontant sa première grande mésaventure sexuelle: «Je suis sortie avec Aziz Ansari ou la pire soirée de ma vie[48]».

Humoriste, comédien, auteur, Ansari est une star montante aux États-Unis. Né en 1983 en Caroline du Sud de parents indiens tamouls musulmans (le père est gastro-entérologue et la mère travaille dans un cabinet médical), il a fait ses études à New York University, spécialisation marketing. Mais sa passion, c'est de jouer la comédie. Sa carrière décolle au milieu des années 2000. De spectacles de *stand-up comedy* en séries télévisées, il impose sa marque de fabrique: la *modern romance* ou la vie sentimentale et sexuelle de la génération 2.0., dont il a même fait un livre[49]. La consécration vient avec *Master of None*[50], série que lui confie Netflix en 2015. Unanimement saluée par la critique, cette comédie dramatique mêlant sexe, sentiments et réseaux sociaux décrit une jeunesse rivée à son portable, très attachée aux valeurs de l'antiracisme et de l'antisexisme. «Ladies and Gentlemen», septième épisode de la saison 1 (novembre 2015), donne même l'occasion au personnage principal de Dev (Aziz Ansari) de se déclarer ouvertement féministe, après avoir pris conscience des expériences vécues par les femmes, des menaces encourues, lorsqu'elles rentrent seules chez elles le soir, aux inégalités et aux injustices dans le travail. Une autre séquence plus troublante figure dans l'épisode : lors d'un trajet dans le métro, Dev et une amie à lui dénoncent haut et fort un homme qui se masturbe publiquement dans un wagon. Lorsque l'homme est embarqué par la police, il a une conversation avec Dev qui plonge ce dernier dans des abîmes de perplexité : se masturber en public met les autres dans une situation inconfortable, certes, mais que sait-on du confort réel de nos partenaires sexuel.le.s consentant.e.s ?

Master of None a reçu de multiples prix, dont trois Emmy Awards et, consécration suprême, le Golden Globe du meilleur acteur de série pour Ansari le 7 janvier 2018.

Lorsque l'article de «Grace» est publié sur le Net, l'affaire ne peut donc pas plus mal tomber.

À 34 ans, Ansari est au sommet d'une jeune carrière, qui défend les valeurs du féminisme, de la diversité et de l'inclusion. Il a été un des premiers à se déclarer en faveur du mouvement #MeToo. À la cérémonie des Golden Globes, quelques jours auparavant, il arborait fièrement au revers de sa veste le badge Time's Up.

Que révèle « Grace » au juste ? Pour comprendre l'enjeu de cette histoire *a priori* sans grand intérêt mais sans doute crucial au regard de l'après-Weinstein et qui a provoqué un débat extrêmement houleux aux États-Unis, il convient de reproduire une partie substantielle de son témoignage.

« Grace » a rencontré Aziz à la soirée qui a suivi la cérémonie des Emmy Awards en 2017 et a pris le prétexte de la photographie (son métier) pour aborder l'acteur en vue, qui utilisait, comme elle, un appareil argentique, choix plutôt rare de nos jours. Un flirt commence, qui se poursuit sur la piste de danse. Durant toute la soirée, ils se lancent des regards appuyés. À la suggestion d'Aziz, « Grace » lui donne son numéro de portable avant de partir.

À peine a-t-elle atterri à New York, que « Grace » reçoit un message d'Aziz lui proposant dans la semaine de prendre un verre chez lui à Manhattan, avant d'aller dîner. « Grace » ne cache pas son excitation à l'idée de sortir avec une star. Elle accepte, se rend dans son appartement de Manhattan, où Aziz l'accueille et lui sert d'entrée de jeu un verre de vin blanc. Mauvaise pioche, elle préfère le rouge, mais ne dit rien.

Aziz et «Grace» se rendent ensuite à pied à Grand Banks, un bar à huîtres voisin très tendance. La conversation roule agréablement, même si «Grace» se plaint un peu d'avoir «fait la conversation» la majeure partie du dîner. Aziz, lui, est pressé de lever le camp. À peine le dernier plat terminé, il demande l'addition, «alors qu'il reste encore du vin dans la bouteille», précise «Grace». Une photo prise avec son portable et publiée dans l'article nous informe sans autre commentaire que c'est du blanc, encore.

Arrivée à l'appartement, «Grace» complimente Aziz sur le marbre du comptoir de sa cuisine. L'acteur prend le compliment pour une invitation et lui propose de s'y asseoir. Instantanément, il l'embrasse. «En quelques secondes, ses mains étaient sur mes seins.» Il la déshabille, se met nu lui-même. Elle confie trouver que les choses vont trop vite mais ne proteste pas. Aziz, lui, propose d'aller chercher un préservatif. Elle le retient, en lui demandant de marquer le pas. Aziz obtempère, change de tactique en lui faisant un cunnilingus, qui sera suivi d'une fellation. «Tout est allé vraiment très vite», regrette «Grace».

Un détail va perturber «Grace» tout au long de sa relation avec Aziz: sa volonté de mettre deux doigts, en forme de V, dans sa bouche jusqu'à la gorge, puis de la pénétrer digitalement. Ce qu'elle nommera dans l'article «la griffe». Autre détail : l'obsession d'Aziz à ce qu'elle s'empare de son pénis. Le pire, dira « Grace », étant l'impression de ne pas pouvoir se sortir de cette situation répétitive et imposée.

À plusieurs reprises, « Grace » a signifié, verbalement ou par signes corporels de rétractation, l'inconfort dans lequel la mettait cette situation. Aziz les a soit méconnus, soit ignorés, soit volontairement négligés. « Quand veux-tu que je te baise ? » lui a-t-il demandé. Question impossible pour la jeune femme, qui n'en avait pas envie. Parce qu'il insistait, elle lui a répondu : « la prochaine fois ». « Et si je te proposais un autre verre, ça vaudrait pour une prochaine fois ? » dit-il en lui versant du vin dans son verre. À ce moment-là, « Grace » s'excuse et s'éclipse dans la salle de bains.

À son retour, cinq minutes plus tard, l'acteur s'inquiète de savoir si elle se sent bien. « Je lui ai dit que je ne voulais pas me sentir forcée, sinon j'allais le haïr, ce qui ne serait pas souhaitable. » Sa réaction a été très positive : « Bien sûr ! Ce n'est amusant que si nous avons du plaisir tous les deux ! » « Grace » s'est sentie soulagée et encouragée par cette remarque, et s'est installée par terre, alors qu'Aziz s'asseyait sur le canapé. Elle pensait qu'il allait lui caresser les cheveux, et lui dire des paroles réconfortantes. Au lieu de ça, il pointa sa tête vers son sexe, pour une nouvelle fellation, à laquelle elle consentit. « On dirait que tu ne me détestes pas », en a-t-il conclu.

Puis Aziz l'a entraînée dans une autre partie de l'appartement, devant un grand miroir. Tout en la tenant par-derrière et la forçant à se baisser, il lui a demandé : « Où est-ce que tu voudrais que je te baise ? Ici ? », pointant son pénis contre ses fesses. « Grace » s'est relevée en lui disant que, non, elle n'était pas prête à ça. Aziz proposa aussitôt de retourner sur le canapé, rhabillés. Ils regardèrent un épisode de *Seinfeld*, mythique série américaine, centrée, comme *Master of None*, sur une forme d'autofiction. « Grace » n'avait jamais vu *Seinfeld*. Or c'est là, précisément, qu'elle s'est rendu compte de ce qu'elle venait de vivre : « Cela m'a frappée : j'avais été violentée. J'ai été soudain bouleversée quand on s'est assis sur le canapé. J'ai compris à quel point cette expérience avait été horrible. » Est-ce le fait d'avoir interrompu le cours des choses ou d'avoir noté quelque chose de déterminant dans *Seinfeld* qui a précipité cette prise de conscience ? L'article ne le dit pas.

Aziz, lui, est dans un autre état d'esprit. Il l'embrasse, lui remet les doigts dans la bouche, essaie de les lui mettre dans le vagin. Elle s'écarte et lui dit : « Vous les mecs, vous êtes tous pareils, vous voulez tous la même chose. » Aziz lui demande de s'expliquer. Elle lui répond qu'il l'a embrassé grossièrement, agressivement.

Au moment d'appeler un taxi sur son portable, Grace est à nouveau embrassée « agressivement ». Dans la voiture du retour, elle passe son temps à pleurer et à texter ses amies. « Je hais les hommes, écrit-elle. Il voulait me baiser. Il voulait me saouler puis me baiser. » Elle arrive chez elle, ressent le besoin de prendre un bain, tant elle se sent «mal et bizarre».

Le lendemain, Aziz lui texte : « C'était bien de se voir hier soir.» À quoi «Grace» rétorque : «C'était peut-être bien pour toi, mais pas pour moi. Tu as ignoré toutes mes réticences, et tu as continué avec tes avances. Je voulais t'avertir afin que la prochaine fille n'ait pas à pleurer tout au long du chemin de retour.» Réponse d'Aziz : «Je suis désolé d'apprendre ça. Clairement, j'ai mal compris ce qu'il s'est passé sur le moment et je suis vraiment désolé.» Fin de partie.

Lorsque «Grace» voit à la télévision Aziz Ansari accepter le Golden Globe, c'en est trop. «Il était très pénible pour moi de le regarder gagner et accepter un prix. Et absolument insupportable de le voir arborer le badge Time's Up. Cela relançait tout, et rendait tout plus réel.» À la même époque, plusieurs femmes qui accusent James Franco d'agressions sexuelles ont exactement la même réaction en voyant l'acteur déclarer son féminisme devant les caméras, le badge de Time's Up bien en vue.

Aux États-Unis, l'affaire Ansari a provoqué une très vive polémique et initié une conversation d'une ampleur inattendue, touchant à la question des limites entre relation consentie et agression sexuelle. Le *New York Times* est aussitôt monté au créneau, qualifiant l'article de Babe.net de «ce qui est sans doute arrivé de pire au mouvement #MeToo depuis son lancement en octobre[51] ». « Ce n'était pas un viol, ni une agression sexuelle », trancha, très ferme, Ashleigh Banfield, avocate, dans son émission *Crime & Justice* sur CNN. Ajoutant à l'adresse de l'accusatrice anonyme, clouée au pilori pour avoir supposément signé l'arrêt de mort d'Ansari et décrédibilisé #MeToo : « Vous avez eu une mauvaise expérience et vous n'êtes pas partie. C'est votre responsabilité[52]. » Même écho, en pire, dans *The Atlantic* qui, sous le titre « L'humiliation d'Aziz Ansari », écrit : « Les allégations contre le comédien sont la preuve que les femmes sont en colère, temporairement puissantes – et très, très dangereuses[53]. »

Si la presse a, dans sa majorité, reproché à Babe.net de desservir l'élan porté depuis des mois en franchissant une ligne rouge, un tout autre son de cloche s'est fait entendre sur les réseaux sociaux, où des milliers de jeunes filles se sont reconnues dans l'histoire de « Grace », qu'elles ont massivement soutenue. Ce fossé entre la génération Y (née entre 1980 et 2000) et les générations antérieures mérite qu'on s'y arrête, la question essentielle étant : l'affaire Ansari est-elle un malheureux avatar de l'affaire Weinstein, propre à nourrir la confusion et un *backlash* du mouvement #MeToo, ou constitue-t-elle au contraire un prolongement à considérer ?

A priori, quiconque de ma génération (je suis née en 1967) lit le récit de « Grace » aura sans doute la même réaction que moi à la première lecture : « Mais on marche sur la tête ! » Car enfin, en quoi ce « *bad date* », ce rendez-vous foireux comme n'importe qui en a connu, a-t-il quoi que ce soit à voir avec du harcèlement ou une agression sexuelle ? « Grace » était consentante, Aziz était pressant mais ne l'a forcée à rien et il s'est excusé le lendemain. Leurs désirs n'étaient pas accordés, ce qui arrive bien souvent – c'est plutôt l'inverse qui est rare. Et offrir du vin blanc sans demander à son invitée si elle préfère le rouge, pour être une indélicatesse, n'en constitue pas pour autant une offense à la morale publique. Ajoutons, pour être complet, que « Grace » aggrave son cas en se dissimulant derrière l'anonymat alors qu'elle livre à la vindicte publique l'intimité d'une personnalité très en vue.

Mais, à la relecture et à la réflexion, le récit de « Grace » pointe en réalité autre chose, qui ouvre une toute nouvelle perspective. « Grace », à vrai dire, ne sait pas elle-même si cette rencontre avec Aziz Ansari peut être qualifiée d'agression sexuelle. Elle interroge ses amies, qui toutes lui confirment qu'Aziz a mal agi. Elle ne comprend pas la nature de ce « désagrément » et de ce terrible « inconfort », qui ont constitué « la pire nuit » de sa jeune vie mais sur lesquels elle ne peut pas mettre de mots ni de définitions. L'intérêt de son récit vient précisément de sa naïveté et de son flottement. Car c'est bien la banalité de cette zone d'inconfort décrite mais informulée qui demande, en réalité, à être sérieusement questionnée. En clair, ce qu'interroge «Grace» sans même s'en rendre compte, *c'est la norme*.

Or cette norme, quelle est-elle? Du début à la fin de la rencontre, Aziz Ansari a agi avec «Grace», disons, sans égards. Ce qui ne fait pas de lui un criminel. Malgré les signes verbaux et non verbaux de réticence formulés par sa partenaire (sans qu'on connaisse le détail de ces avertissements), Ansari a continué à exprimer son désir jusqu'à atteindre ce qu'il voulait – sans néanmoins y parvenir tout à fait. Il a exercé une pression à peu près continue, sans considération pour le désir de l'autre. Personnellement, je ne doute pas qu'il ait été sincèrement désolé de l'issue de cette soirée, en apprenant la réaction de «Grace». Était-il conscient de ce qu'il faisait et a-t-il pris la mesure de sa grossièreté? Question impossible à trancher, même si, dans tous les cas, la réponse est problématique. S'il se rendait compte que sa partenaire était mal à l'aise, pourquoi avoir continué? S'il ne s'en rendait pas compte, c'est qu'il est une brute.

On me rétorquera que les Ansari du monde, sans constituer l'intégralité de la gent masculine, sont nombreux. Et si c'était cela, justement, qui était problématique? Cette surdité, inconsciente ou délibérée, des hommes absorbés par leurs pulsions, négligents de la satisfaction des femmes?

Contrairement à ce qu'on a écrit ici et là, l'affaire Ansari ne serait donc pas une *dérive* du mouvement #MeToo, mais, peut-être, le cœur du problème, par là où il faudrait commencer : à savoir l'incompréhension et l'incommunicabilité entre les hommes et les femmes, qui se traduiraient par une domination sourde des premiers sur les deuxièmes pour arriver à leurs fins.

Ce que l'affaire Ansari pose avec plus d'acuité que jamais, c'est bien sûr la question très épineuse du *consentement*[54]. Au-delà, elle renvoie surtout à un problème plus général de la *sensibilité*. Quiconque – et tout le monde a eu cette expérience – fait une remarque déplacée lors d'un dîner ou d'une réunion entre ami.e.s sent le malaise qui se crée instantanément. L'atmosphère change, une gêne s'installe, des regards embarrassés s'échangent. Il est impossible d'ignorer la situation. De même, quiconque fait un geste inapproprié, tentative maladroite de séduction ou rapprochement intempestif, devrait savoir décrypter le malaise éventuel de l'autre : mouvement de retrait, rétractation subtile, froideur du corps. Je ne parle même pas de l'introduction répétée de doigts jusqu'au fond de la gorge.

Comment se fait-il que tant d'hommes ne «comprendraient» pas les signaux envoyés par les femmes ? Sont-elles trop discrètes, trop timides, trop subtiles, trop soumises, trop inhibées ? Ou sont-ils tous sous anesthésie volontaire ? Il semblerait qu'une incompréhension profonde, fondée sur l'indifférence des désirs et l'ignorance des corps, exige, en réalité, dans l'hétérosexualité, une refondation des rapports érotiques.

Les Ansari du monde sont nombreux, mais plus rares sont ceux qui se déclarent, comme le comédien, féministes militants. Ce qui rend l'histoire plus perturbante et plus pertinente encore. Comme l'a parfaitement résumé l'inénarrable Samantha Bee dans son émission *Full Frontal* sur TBS : « Si vous vous dites féministe, alors baisez comme un féministe. Et si vous n'en avez pas envie, alors enlevez votre putain de badge parce qu'on n'est pas vos accessoires [55]. »

À peine deux semaines après l'affaire Ansari, Blandine Grosjean (née en 1965) publie dans *Le Monde* un long article intitulé « De la résignation au consentement, le problème de la "zone grise" [56] », qui révèle exactement le même malaise et confirme le même écart générationnel en France. Dans cet article, la journaliste retrace, d'un point de vue personnel et professionnel, près de quarante ans d'évolution des mœurs parmi les jeunes femmes.

Les raisons d'accepter de coucher avec un garçon qu'on ne désire pas sont nombreuses. Selon la situation, les filles cèdent à la pression par lassitude, par crainte de passer pour « coincées », « pour ne pas avoir à dire non », « pour ne pas casser l'ambiance ». Mais, à partir des années 2010, le seuil de tolérance des jeunes filles (20-29 ans) aurait nettement baissé. « Les mecs "lourds" sont devenus des harceleurs. La drague intempestive dans les espaces publics est appelée harcèlement de rue. Un prof de fac qui "séduit" une étudiante est coupable d'abus d'autorité. Les médias en ligne – surtout anglo-saxons mais largement suivis par les jeunes journalistes du Web français qui baignent dans cette culture –, les blogueuses de plus en plus féministes ont sorti ces histoires du domaine intime. Ce sont désormais, grâce à elles, des sujets de société.»

D'après Blandine Grosjean, les hommes ne seraient pas moins respectueux qu'avant, au contraire. «Ce sont les femmes et la société qui ont bougé. Il y a de moins en moins de troisième voie entre le viol et la relation consentie.» Les conséquences parfois dramatiques de relations sexuelles non consenties (dépression, troubles alimentaires, scarifications, etc.) ont décidé les femmes à sortir définitivement de cette «zone grise».

Comment, à l'unisson de l'auteure, ne pas considérer cette volonté d'affirmation du désir comme un progrès? Pourquoi l'épanouissement du plaisir des femmes signifierait-il une «castration» des hommes? Que craindre d'une vraie conversation, charnelle et verbale, entre les femmes et les hommes? Mais tout le monde n'adhère pas à ce schéma, arguant que la «zone grise» est précisément l'espace indistinct et ténébreux de la séduction, qui induit des rapports sinon de force, du moins de défi et de jeu dont il faut assumer l'inconfort éventuel, une sorte de lutte provocante et complexe, où les deux parties s'affrontent. Et que c'est cela qui ferait l'excitation.

Loin d'être un cas isolé, l'affaire Ansari a donc révélé un trait nouveau de l'après-Weinstein : non seulement un rejet déterminé du harcèlement sous toutes ses formes, mais une volonté de changement de la norme et de la grammaire amoureuse hétérosexuelle. Ce que ma génération, qui est celle de Blandine Grosjean, considérait comme « normal » et « anodin » est devenu inacceptable chez les 18-35 ans.

Cette tendance de fond de la jeunesse n'a pas plus à voir avec le « puritanisme » – soit dit en passant, je connais peu de puritaines qui racontent leur cunnilingus sur un comptoir de cuisine et détaillent leur pénétration digitale – qu'avec une fantasmatique « américanisation » de la France. C'est une évolution globale de la société, qui vient – on me pardonnera l'oxymore – *imposer le consentement* et la réciprocité au cœur de la relation. Il y aurait plutôt de quoi se réjouir.

IV

La sale pute, le gros nul et le petit malin

En 2006, Orelsan, un rappeur de 24 ans, met en ligne le clip d'une chanson dont le titre, «Sale pute», revient vingt-trois fois en l'espace de trois minutes. C'est l'histoire d'un homme qui se saoule et injurie sa petite amie, cette «sale pute», dont il vient de découvrir qu'elle le trompe. Extraits:

> *T'es juste bonne à t' faire péter l'rectum*
> *Même si tu disais des trucs intelligents t'aurais l'air conne (...)*
> *On verra comment tu suces quand j'te déboîterai la mâchoire*
> *T'es juste une truie, tu mérites ta place à l'abattoir (...)*
> *J'rêve de la pénétrer pour lui déchirer l'abdomen (...)*
> *Si j'te casse un bras, considère qu'on s'est quittés en bons termes (...)*

*J'vais te mettre en cloque (sale pute) et t'avorter
à l'Opinel (…)*

*Oh je m'en bats les couilles c'était de la faute à
qui*

*J'te collerai contre un radiateur en te chantant
«Tostaki»*[57] *(…)*

Tostaki, pour qui l'ignore, est un titre du groupe
Noir Désir, dont le chanteur, Bertrand Cantat, a
frappé à mort sa compagne Marie Trintignant.
Inculpé en 2003 et condamné à huit ans de prison
à Vilnius (Lituanie), il a été libéré en 2007.

En 2009, l'hommage d'Orelsan à Cantat se fait
plus explicite, dans une chanson d'abord intitulée «Saint-Valentin», puis «Suce ma bite à la
Saint-Valentin»:

*Et le lendemain matin, elles en redemandent,
se mettent à trépigner*

*Mais ferme ta gueule ou tu vas t'faire Marie-
Trintigner (…)*

*J'aime pas celles qu'avalent, j'aime celles qui
font des gargarismes*

*Celles qui encaissent jusqu'à finir handicapées
physiques*[58] *(…)*

À la sortie de *Perdu d'avance*, son premier
album, en février 2009, la presse s'enthousiasme.
Libération salue un «petit phénomène», «qui
a fait un carton avant-hier sur Internet avec
des vidéos d'amoureux éconduit sur l'air de la

Saint-Valentin[59] ». *L'Express* qualifie « Sale pute » et « Saint Valentin » de clips « gentiment trash » et ajoute : « Au-delà de la provoc', se cache un vrai talent d'écriture[60]. » Si les deux titres mentionnés ne figurent pas dans l'album, on y trouve, entre autres, « Différent » (*J' finirai par acheter ma femme en Malaisie/(...)/J'peux t' faire un enfant, ou t'casser l'nez sur un coup d'tête*) ou « Logo dans le ciel » (*Orel' pour mon prénom, San pour les putes asiat'*). Orelsan reste donc fidèle à son « univers ». Il se trompe néanmoins ou plutôt fait semblant de se tromper sur un point, évoqué dans « Étoiles invisibles » : « *C'est pas en insultant les meufs dans mes refrains qu' j' deviendrais quelqu'un, mais j'aime bien.* »

Le succès de *Perdu d'avance* attire l'attention de blogueuses féministes sur « Sale pute », toujours en circulation sur le Net, dont les paroles sont dénoncées comme une incitation à la violence contre les femmes. L'affaire va très vite prendre une tournure politique. Alertées, la ministre de la Culture, Christine Albanel, et la secrétaire d'État à la solidarité, Valérie Létard, demandent le retrait du clip. Dailymotion et YouTube refusent, mais acceptent finalement de le diffuser en accès limité. Le débat n'est pas clos pour autant. La programmation d'Orelsan au Printemps de Bourges et aux Francofolies de La Rochelle fait des remous. Marie-George Buffet et Ségolène Royal s'indignent, François Bayrou temporise, Frédéric Lefebvre défend le rappeur. Orelsan, conscient que sa carrière est en danger, se dit «désolé» d'avoir pu blesser certaines sensibilités, tout en assurant qu'il faut, bien entendu, prendre ces paroles «au deuxième degré» – argument irrecevable pour Ni putes ni soumises, qui le poursuit pour «provocation au crime». C'est le point de départ d'une très longue histoire entre le rappeur et les associations féministes, qui n'est pas terminée.

À cette époque, la stratégie du chanteur, fils d'un directeur de collège et d'une enseignante, sorti d'une école de management en Floride, est déjà très bien rodée. «Dans cette chanson, explique-t-il, j'essaie de montrer comment une pulsion peut transformer quelqu'un en monstre. J'ai tourné un clip où je porte un costume-cravate et bois de l'alcool, pour montrer qu'il s'agit d'une fiction (*sic*). En aucun cas, je ne fais l'apologie de la violence conjugale. L'attitude de ce personnage me dégoûte, mais j'ai l'impression de représenter artistiquement la haine comme a pu le faire un film comme *Orange mécanique*[61].»

Cette ligne de défense classique – la sainte trinité du deuxième degré, de la fiction et de l'art – s'avère d'une redoutable efficacité auprès des critiques et de certains politiques, qui ont invoqué Gainsbourg et même Rimbaud à son sujet, mais aussi des tribunaux. Car rien n'effraie les uns et les autres comme l'accusation de «manquer de distance» ou de mettre en danger la «liberté d'expression artistique». Essayez seulement de suggérer que les blagues sexistes ou les incitations à la haine ne sont pas aussi artificielles qu'elles le prétendent et, soit on ridiculisera votre côté « premier degré », soit on vous soupçonnera de vouloir rétablir la « censure ». Vous avez le choix entre passer pour un con ou pour un salaud. L'impasse est parfaite. On aurait pu espérer que la justice la dépasse, en proposant un raisonnement juridique élaboré. Mais non. Poursuivi à plusieurs reprises entre 2009 et 2016, le chanteur est chaque fois relaxé. La plainte qui lui a valu condamnation à 1 000 euros d'amende avec sursis en 2013 est finalement classée sans suite car prescrite, puis définitivement balayée par l'arrêt du 8 février 2016 qui, d'une indigence confondante, reproduit jusqu'à la caricature tous les clichés attendus, sans se rendre compte des contradictions élémentaires de sa démonstration.

Orelsan, poursuivi par cinq associations féministes qui interjetaient appel, comparaissait en 2016 pour injure, provocation à la discrimination, à la haine ou à la violence à l'encontre de personnes en raison de leur sexe, à la suite d'un concert au Bataclan le 13 mai 2009, où la plupart des chansons citées plus haut figuraient au programme. Pour aller vite, les plaignantes arguaient du caractère autobiographique des chansons, qui rendait la distinction entre réalité et fiction improbable auprès d'un très jeune public, « inaccessible au second degré » et galvanisé par ces propos dégradants et ces appels à la haine. La partie adverse défendait la liberté d'expression d'un artiste s'exprimant à travers des personnages imaginaires, citant au passage les éloges de la presse française à la sortie de *Perdu d'avance* : « le rap anti-bling bling » (*Libération*), « celui qui va secouer le rap français » (*Le Parisien*), « une plume riche d'autodérision » (*L'Express*), « le hip-hop renaît de ses cendres » (*Elle*) ou « le rap gagnant » (*Le Journal du Dimanche*).

Les conclusions, ordonnant la relaxe, s'appuient sur une « lecture attentive de l'intégralité des textes », où apparaissent des personnages qualifiés d'« antihéros, fragiles, désabusés, en situation d'échec ». Le chanteur dépeint « sans doute à partir de ses propres tourments et errements, une jeunesse désenchantée, incomprise des adultes, en proie au mal-être, à l'angoisse d'un avenir incertain, aux frustrations, à la solitude sociale, sentimentale et sexuelle ». Désillusion et autodérision caractériseraient des chansons où « il est clair » qu'Orelsan « n'incarne pas ses personnages », d'une médiocrité qui rend évidente la distanciation. Selon le juge, « les paroles de ses textes (…), par nature injurieuses et violentes à l'égard des femmes lorsqu'elles sont prises isolément, comme "… c'est pas de ma faute si les femmes c'est des putes" ou "mais ferme ta gueule ou tu vas t'faire marie-trintigner" (…) doivent *en réalité être analysées* dans le contexte du courant musical dans lequel elles s'inscrivent et *au regard des personnages imaginaires*, désabusés et sans repères qui les tiennent. Les sanctionner (…) reviendrait à censurer toute forme de création artistique inspirée du mal-être, du désarroi et du sentiment d'abandon d'une génération, en violation de la liberté d'expression[62] ».

Autobiographique et réel, donc, lorsqu'il s'agit du désarroi d'une jeunesse à plaindre et fictionnel lorsqu'il s'agit des femmes à matraquer. CQFD. Faut-il rappeler que Marie Trintignant n'était pas un personnage imaginaire ? Qu'elle était la mère de quatre enfants ? Qu'elle est morte sous les coups de son compagnon, comme une femme tous les trois jours en France ? Dix-neuf coups, pour être précis, dont quatre au visage selon le médecin légiste, assenés dans la nuit du 26 au 27 juillet 2003 par Bertrand Cantat, individu bien réel. Que Marie Trintignant, en état de mort cérébrale, à la suite d'un œdème suivi d'un coma profond provoqué par les coups portés, décédera le 1er août 2003, à l'âge de 41 ans ?

Par ailleurs, peut-on m'expliquer la relation de cause à effet entre « le malaise d'une génération sans repères, notamment dans les relations hommes-femmes », *dixit* le juge, et ce flot d'injures sexistes et d'encouragements au meurtre ? Comme le remarque la journaliste Nadia Daam : « Par quel truchement a-t-on lié un personnage ultraviolent et misogyne aux atermoiements de la jeunesse ? Comment ne pas voir dans la connexion établie entre "la solitude", "la frustration" et de multiples appels au viol, quand bien même proférés pour de faux, une forme de justification de la violence faite aux femmes ? Voire que la violence sexiste serait une *expression cathartique presque saine de ce mal-être*[63]. » À la sortie du procès en 2016, Orelsan, à travers la bouche de son avocat, se dira « ravi, soulagé, très flatté[64] ». On le comprend.

L'affaire Orelsan laisse nombre d'autres questions en suspens. Si « Sale pute » et « Saint-Valentin » ne sont que des « fictions », pourquoi ne les avoir jamais fait figurer sur aucun album ? Orelsan, qui surjoue volontiers le personnage de « gros nul », ne serait-il pas plus simplement un « petit malin » ? Comment interpréter ce commentaire du rappeur, en pleine polémique : « Quoi que j'aie dit, je serai toujours moins violent que les séries sur TF1, où un type se fait cogner au bout de cinq minutes à 20 h 30 sans raison[65] » ? Les séries de TF1 ne sont-elles pas des fictions, au même titre que ses chansons ? Cogner sur un homme sans raison serait donc pire que de déboîter la mâchoire d'une femme et l'avorter à l'Opinel puisque ce serait pour une « bonne raison » ? C'est ici, entre autres, que le bât blesse. L'exemple d'Orelsan ne résiste en réalité à aucune comparaison. Et Isabelle Alonso a raison d'établir le parallèle, classique :

Si on écrit « sale juif, j'veux que tu crèves lentement, tu mérites ta place à l'abattoir », c'est la levée de boucliers assurée. Orelsan chante :

«sale pute... j'veux que tu crèves lentement, tu mérites ta place à l'abattoir», c'est de la licence poétique.

Si on chante «sale pédé, t'es juste bon a t'faire péter le rectum», c'est un scandale. Orelsan chante : «sale pute... t'es juste bonne a t'faire péter le rectum», c'est du second degré.

Si on chante : «sale nègre, tu mériterais d'attraper le dass... on verra comment tu suces quand je te déboîterai la mâchoire», c'est de l'incitation à la haine. Orelsan chante : «sale pute... tu mériterais d'attraper le dass... on verra comment tu suces quand je te déboîterai la mâchoire», c'est de la liberté d'expression [66].

Bougnoule, youpin, bamboula, niaqwé ça ne passe plus, et c'est heureux. Pute, salope, connasse, personne ne bouge. Au contraire. On applaudit, on rigole, on en redemande. Pourquoi ? Et lorsque deux féministes mettent en ligne une parodie intitulée «Suce mon clit pour la Saint-Valentin», en reprenant et en inversant toutes les paroles de la chanson d'Orelsan, pourquoi le clip, qui a recueilli 80 000 vues en 36 heures, est-il aussitôt, *lui*, censuré pour «contenu sexuellement explicite», suivi d'une remise en ligne réservée aux plus de 18 ans sur YouTube, qui a clôturé d'autorité le compte des deux féministes dans la foulée ? Impossible pourtant de se tromper sur le «deuxième degré» de cette vidéo très explicitement humoristique, pourtant reléguée sur Viméo et sur... YouPorn [67] !

Dans ses conclusions, le président de la cour considère que «le domaine de la création artistique est soumis à un régime de liberté renforcé afin de ne pas investir le juge d'un pouvoir de censure qui s'exercerait au nom d'une morale nécessairement subjective». Mais où est, ici, l'objectivité d'une décision de justice qui décide très subjectivement, et même arbitrairement, de ce qui est réel et de ce qui est fictif? Et qui est ce juge, manifestement terrorisé à l'idée de passer pour un censeur (faut-il rappeler que ce n'est pas ce qu'on demande à la justice?), soi-disant respectueux de l'autonomie du champ esthétique mais qui se bombarde critique artistique et moral de la culture rap, «mode d'expression par nature brutal, provocateur, vulgaire», et s'appuie – la belle affaire! – sur le fait que le cinéma, *lui aussi*, exprime «dans des termes extrêmement brutaux la violence des relations entre garçons et filles [68]»? Depuis quand justifie-t-on la violence d'un mode d'expression par un autre, *a fortiori* sur des critères aussi vagues et stéréotypés? Questions rhétoriques pour un sujet qui demande en réalité à être repensé de fond en comble.

Pourquoi revenir sur cette affaire? Parce que l'affaire Orelsan est un cas d'école, pour ainsi dire un cas rêvé, idéal, dans l'analyse d'un débat vieux comme le monde, que le mouvement #MeToo replace au centre des préoccupations et renouvelle avec une vigueur inédite: les rapports de l'art et de la morale, de la liberté d'expression et de l'incitation à la haine. Mais aussi parce que l'affaire Orelsan, que l'on croyait enterrée, a récemment refait surface au point d'apparaître comme l'indicateur par excellence de l'après-Weinstein.

Le 9 février 2018, le chanteur, adulé par les médias de *On n'est pas couché* au *Petit Journal* de Canal +, rafle les trois trophées où il était nommé aux Victoires de la musique, pour un album qui caracole en tête des ventes. Même en plein mouvement #MeToo, carton plein, donc, et parcours sans faute pour l'«Eminem normand». Mais, deux jours plus tard, une pétition est lancée à l'adresse de la ministre de la Culture pour réclamer l'annulation de ses prix. Espérant recueillir 25 000 signatures, elle en totalisera près de 85 000[69]. Une contre-pétition, prenant la défense du chanteur, en a elle recueilli 2 500[70].

Le vent tournerait-il? À la même époque, une autre affaire, plus ancienne et d'une tout autre nature, refait surface et change de tournure. À sa sortie de prison, en 2007, Bertrand Cantat a progressivement repris son métier de chanteur. Il a aussi renoué avec sa première femme, Krisztina Rády, mère de ses deux enfants. En janvier 2010, après avoir laissé à ses parents et à des proches des messages sans équivoque sur les violences physiques et psychologiques de Cantat, celle-ci se suicide par pendaison, alors que le chanteur dort dans la pièce voisine. Après ce deuxième drame, dont il sortira exonéré, Cantat poursuit sa carrière, en formant le groupe Détroit, dont le premier album se hisse à la deuxième place du top album la semaine de sa sortie. « Bertrand Cantat : son album démarre plus fort que celui de Daho[71] », titre *Le Figaro* en 2013. Bientôt, c'est une tournée à guichets fermés. Trois ans plus tard, il revient en solo. Plébiscité par la presse, Cantat a même droit, le 11 octobre 2017, à la une des *Inrockuptibles*. En bonus et en couverture, « la bande-son de l'automne » promeut... Orelsan, celui-là même qui menace les « sales putes » de se faire « marie trintigner ». En pleine affaire Weinstein, le choix du journal est sans ambiguïté. Il provoque une polémique, aussitôt suivie d'un *mea culpa* officiel de l'hebdomadaire, qui admet sans rire : « Nous [avons], et ce n'était pas là notre intention, ravivé une souffrance[72]. » Gageons que l'intention était, plus raisonnablement, de raviver le commerce. Cantat fait vendre, comme l'avait prouvé une interview accordée au même journaliste, Jean-Daniel Beauvallet, publiée en 2013[73].

Début 2018, le retour sur scène en solo de Bertrand Cantat, qui n'avait jusque-là pas connu d'embûches sérieuses, suscite soudainement un tollé. Des féministes protestent à l'entrée des concerts, des sponsors se retirent, des directeurs de salles reculent. Les ventes de son album, *Amor Fati* (l'amour du destin) stagnent. Quelque chose a changé. Le 18 janvier, Yael Mellul, ancienne avocate, a communiqué de nouvelles pièces permettant d'établir « les violences exercées par Bertrand Cantat sur Krisztina Rády », destinées à appuyer la plainte déposée contre X pour « violences ayant entraîné la mort sans intention de la donner». Dans la presse, le débat fait rage. Un prisonnier qui a purgé sa peine n'a-t-il pas droit à la réinsertion ? Peut-on applaudir et célébrer un meurtrier qui se produit sur scène ? Entre le droit et l'éthique, les avis divergent et les esprits s'écharpent. Cantat, quant à lui, en prend acte, annule sa tournée des festivals de l'été et n'hésite pas à occuper via Facebook la posture du martyr soutenu par ses fans et de l'artiste maudit criant à la «censure». Le 2 mai, l'Olympia, qui affichait complet, déprogramme Bertrand Cantat. Le 3 juin, le parquet de Bordeaux décide finalement de rouvrir l'enquête sur la mort de Krisztina Rády qui sera, au bout du compte, classée sans suite[74].

Aussi éloignés soient-ils (et pourtant perversement liés), les cas Orelsan et Cantat illustrent jusqu'à la caricature deux facettes d'un problème très épineux : d'une part, un artiste dont les chansons déversent des torrents de haine à l'égard des femmes mais qui jure n'être pas misogyne en privé et intime la société de faire la différence entre fiction et réalité ; de l'autre, un artiste dont les chansons marquées «très à gauche» n'ont jamais été suspectées de misogynie, et qui a frappé sa compagne jusqu'à ce que mort s'ensuive. Comment être résolument contre la censure, comme c'est mon cas, et être révoltée par les incitations à la haine d'Orelsan ? Comment soutenir résolument la réinsertion des prisonniers, comme c'est mon cas, et trouver obscènes les exhibitions de Cantat en public ? À ces questions, je n'ai aucune réponse toute faite à offrir. Je dois me contenter, selon la formule de Geneviève Fraisse, d'«habiter la contradiction», ce qui est sans doute la seule posture viable de la critique.

Orelsan et Cantat ont «l'avantage» d'offrir des cas limites dans la violence verbale et la violence physique. Paroles ordurières, injurieuses, incitant à la haine, d'un côté; brutalité inouïe, récidiviste, ayant entraîné la mort, de l'autre. Dans les deux cas, le droit a statué. Orelsan a été relaxé, Cantat a été condamné et a purgé sa peine. Il n'y a donc pas lieu de revenir sur ces affaires. Dans les deux cas, pourtant, quelque chose de profondément insatisfaisant insiste, au point de créer la polémique et de la reconduire sempiternellement depuis une dizaine d'années, jusqu'à son intensification dans l'après-Weinstein. De quelle nature cette insatisfaction persistante relève-t-elle ?

Si l'opinion n'a pas vocation à se substituer au tribunal, tout un chacun est libre d'interroger le droit et la justice, *a fortiori* dans un moment (actuel) où chaque jour apporte son lot de révélations sur les violences faites aux femmes dans le monde et à tous les niveaux. Bertrand Cantat a été condamné à huit ans de prison – contre une moyenne de dix ans dans pareils cas en France. C'est donc un peu moins, mais comparable. Il a été libéré en conditionnelle en 2007 et définitivement en 2011. Pour de nombreuses associations féministes, la «légèreté» de cette peine et sa remise lancent un signal extrêmement fort sur la banalisation des féminicides. Mais c'est surtout l'enquête accablante publiée par *Le Point* en 2017 sur le comportement de Bertrand Cantat dans les années qui ont précédé et suivi le drame qui plaiderait en faveur d'une réouverture du dossier. En France, cette fois, pays qui a ratifié, au contraire de la Lituanie où s'était tenu le procès, la convention d'Istanbul sur les violences faites aux femmes et les violences domestiques adoptée par le Conseil de l'Europe en 2011.

« Je savais qu'il avait frappé la femme avec qui il était avant Krisztina. Je savais qu'il avait tenté d'étrangler sa petite amie, en 1989. Je savais qu'il avait frappé Krisztina. Mais, ce jour-là, nous avons tous décidé de mentir », confiait au *Point* un membre de Noir Désir sous couvert d'anonymat. Tous les proches savaient que le chanteur était un homme violent envers les femmes, un « pervers narcissique[75] » qui aurait menacé Krisztina Rády avec un couteau, alors qu'il était en liberté conditionnelle. Si ces informations sont prouvées, on est en droit de s'interroger sur l'impertinence de Bertrand Cantat à vouloir se produire sur scène, puis de crier à la persécution.

Le cas d'Orelsan est tout différent. « Courez courez, vous m'attraperez pas ! » répète le refrain d'une chanson de *Perdu d'avance*. On ne peut pas trouver d'expression plus adéquate à la cause d'Orelsan, dont on dirait plutôt qu'elle est, en

France, gagnée d'avance. Car le rappeur a, dès l'origine de sa carrière, compris le truc en n'étant jamais là où l'on croit qu'il est. Ce vieux stratagème est mis en scène de façon exemplaire dans «Courez courez»:

Les dèps qui disent qu' j'suis homophobe peuvent aller s' faire enculer (...)
Petite, essaie pas d'me fréquenter
Ou tu vas perdre ton pucelage avant d'avoir perdu tes dents d'lait (...)
J'suis pour de vrai de vrai, j'dis c'que j'pense, j'pense c'que j'dis
Tout ce que j'écris c'est du premier degré, hé! (...)
Les féministes me persécutent, me prennent pour Belzébuth
Comme si c'était d'ma faute si les meufs c'est des putes
Elles ont qu'à arrêter de s'faire péter l'uc. (...)
Des fois j'sais plus si j'suis misogyne ou si c'est ironique
J'serai peut-être fixé quand j'arrêterai d'écrire des textes où j'frappe ma p'tite copine[76] (...)

Se défendre d'homophobie, de pédophilie et de misogynie tout en insultant dans la même phrase les «dèps», menaçant de viol les «petites» et injuriant les «putes», affecter le premier degré et prétendre à la confusion pour souligner la duperie et se dédouaner dans le même mouvement, est une stratégie classique d'ironie redoublée. En jouant sur les deux tableaux, Orelsan s'amuse à semer le trouble en suggérant qu'il conviendrait de prendre tout ce qu'il profère à contre-pied : c'est parce que je parle des femmes comme des putes ou que je prétends au premier degré que, justement, je les respecte et parle au deuxième degré. C'est vous qui, à croire à tout ce que je chante, tombez dans le panneau.

Et si le panneau était tout différent ? Si le panneau consistait, *justement*, à abuser de l'impunité accordée aux artistes pour injurier les femmes en toute tranquillité ? Si la fiction n'était qu'un alibi bien commode pour propager une misogynie primaire et récurrente dans le rap comme dans la culture populaire française en général, de Georges Brassens ciblant les « emmerdeuses » (« Misogynie à part ») à Michel Sardou pressé de « violer des femmes » (« Les villes de grande solitude ») ? Je remarque en passant que, lorsque les journalistes ont prétendument découvert en 2017 que, derrière Marcelin Deschamps, auteur de dizaines de milliers de tweets racistes, antisémites, homophobes et misogynes, se cachait en réalité Mehdi Meklat, écrivain, chroniqueur au Bondy Blog puis à France Inter et coqueluche des médias, celui-ci s'est empressé de donner l'explication magique et miraculeuse, comme on sort le lapin du chapeau : Marcelin Deschamps était un « personnage de fiction », sorte de « double maléfique », qui faisait de la « provocation » – un équivalent, en somme, du

« gros nul » d'Orelsan. « Ces outrances n'ont rien à voir avec moi, affirma Meklat. Elles sont à l'opposé de ce que je suis et ce que je veux représenter[77]. »

Mais tandis que la carrière de Mehdi Meklat, dont la chute a bien évidemment galvanisé la fachosphère, s'est arrêtée net, Orelsan continue d'accumuler les succès. Il aurait donc tort de se gêner. Ça marche. Pourquoi ?

Depuis deux siècles, la pensée occidentale a fait de l'autonomie du champ artistique le marqueur de la modernité. De Kant à Hegel et de Flaubert à Manet, la théorie de l'émancipation de l'art, fondée sur les seules exigences formelles du style et l'indépendance stricte du jugement esthétique, a rompu avec des siècles de tutelle par rapport à la morale, l'État et la religion, auxquels étaient soumis tous les artistes depuis la nuit des temps, de Praxitèle à Fra Angelico, de Bach à Purcell, de Marie de France à Racine. Cet affranchissement, qui ne s'est pas fait en une nuit, dont les Lumières et la Révolution ont accompagné la transition, constitue le fondement de la culture actuelle et l'acquis jaloux de toutes les disciplines artistiques[78]. Pas d'autre critère que la forme, pas d'autre horizon que la liberté d'expression.

On ne peut que se féliciter de cette conquête héroïque, d'ailleurs sous menace constante. En 1995, un roman de Jacques Henric était retiré des librairies au nom de la lutte contre la pornographie, pour avoir fait figurer sur sa couverture

L'Origine du monde de Courbet, représentation d'un sexe de femme. Ce genre d'exemples grotesques et accablants continuent d'agiter la Toile. Facebook notamment, qui s'offusque d'un sein dénudé mais autorise des vidéos de décapitations, est régulièrement pris à partie pour sa politique incohérente en matière d'obscénité. Car la sexualité semblerait bénéficier ou plutôt pâtir d'un statut à part.

Cette conquête de la liberté a été accomplie au prix fort. Mais pas à n'importe quel prix non plus. La loi de 1881 impose d'emblée des restrictions. Les articles 23 et suivants viennent sanctionner et limiter la provocation aux crimes et délits. Par ailleurs, l'article 10 de la déclaration des droits de l'homme et du citoyen précise que personne « ne doit être inquiété pour ses opinions, mêmes religieuses, pourvu que leur manifestation ne trouble pas l'ordre public établi par la loi ».

Par son arrêt historique du 27 octobre 1985, le Conseil d'État a intégré à l'ordre public ainsi protégé la notion de respect à « la dignité de la personne humaine », pour permettre l'interdiction d'un spectacle (en l'occurrence, de lancer de nain). Depuis l'arrêt Morsang-sur-Orge, seules deux affaires ont fait usage du principe de dignité pour justifier l'adoption d'une mesure de police administrative générale : la « soupe au cochon » (5 janvier 2007) qui consistait à distribuer de la soupe aux plus démunis en hiver, mais toujours avec du porc pour s'assurer que les musulmans ou les juifs pratiquants ne pourraient pas en bénéficier ; et l'interdiction du spectacle « Le Mur » de Dieudonné, en raison de propos antisémites.

La question s'est maintes fois posée ces dernières années, en particulier avec les caricatures de Mahomet au Danemark et les choix de *Charlie Hebdo*. Peut-on tout dire ? Peut-on se moquer de tout ? N'est-ce pas dénaturer la liberté d'expression et de création que d'en faire une religion, comme si au fanatisme religieux répondait un fanatisme libertaire ? Plébiscitée en France comme aux États-Unis, la liberté d'expression s'arrête pourtant – par exemple – au négationnisme ou au déni de crime contre l'humanité. Certains spectacles de Dieudonné, qui a reçu Robert Faurisson sur scène, ont été interdits au nom de l'atteinte à la dignité de la personne humaine. Pourtant, Dieudonné ne dit-il pas « je ne suis pas antisémite », comme Orelsan jure de n'être pas « misogyne » ?

La décision de la cour d'appel, bien que critiquée par les associations féministes et quelques juristes, est largement défendue par la doctrine en France. Personne ne contestera l'importance d'une défense ferme de la liberté d'expression. Mais n'est-ce pas la sacraliser et, partant, en dévoyer le principe, que d'affirmer que les paroles d'Orelsan, destinées à un très jeune public, et dont le monde, juge inclus, reconnaît la violence à l'égard de la dignité des femmes, sont absolument protégées et hors de toute condamnation ? En ce sens, l'affaire Orelsan est très symptomatique du XXIe siècle, qui a montré sous bien des formes à quel point les avancées laïques étaient devenues, ironiquement, des bastions sacrés. Mais les limites de ceux-ci finissent toujours par craquer sous l'effet du temps. Qui eût cru, par exemple, que d'ex-membres du Front homosexuel d'action révolutionnaire (FHAR) militeraient un jour pour la reconnaissance de l'institution du mariage (pour tous)? Qui eût cru que des fondatrices du Mouvement de libération des femmes (MLF) se battraient pour que des jeunes filles puissent porter le voile? Ces mouvements ne sont paradoxaux qu'en apparence. Qu'on le veuille ou non, la liberté s'incarne différemment selon les époques: lutter contre l'institution du mariage sous de Gaulle, c'était lutter contre l'oppression des femmes et l'aliénation sociale. Lutter pour le mariage gay et la liberté de porter le voile au XXIe siècle, c'est lutter pour accorder à tout le monde les mêmes droits citoyens, sans distinction d'orientation sexuelle ou de religion, dans un monde postcolonial et globalisé qui a profondément changé sous l'effet de la démographie, de l'immigration et de l'avancée des idées sur les concepts de genre, d'identité et d'ethnicité.

Le mouvement #MeToo va-t-il, pour la première fois, imprimer un tournant et faire de l'incitation à la haine des femmes un (vrai) délit comme le sont le racisme, l'antisémitisme ou le négationnisme? L'injure et l'incitation à la violence en raison du sexe sont inscrites officiellement dans le code depuis la loi de 2004. La condamnation d'Orelsan par le tribunal de grande instance de Paris en mai 2013 était même une première. Mais la décision de la cour d'appel de Versailles en 2016 l'a enterrée. Il n'existe donc plus à ce jour de précédent. En quatorze ans, personne en France n'aurait donc incité à la haine des femmes. Excellente nouvelle.

V

The elephant in the screening room[79]

Faulkner a maintes fois raconté la genèse de son sixième roman, *Sanctuaire* (1931). « J'écrivais des livres et j'y prenais beaucoup de plaisir. Mais un jour je me dis : Et si cela me rapportait de l'argent ? Alors je conçus l'histoire dont je pensais qu'elle se vendrait le mieux, et je l'écrivis[80]. » Cette histoire, « l'histoire la plus effroyable qu'on puisse imaginer[81] », est celle de Temple Drake, jeune fille de bonne famille violée avec un épi de maïs par Popeye, gangster impuissant, puis livrée à un bordel de Memphis. Faulkner avait raison, le viol, *a fortiori* à répétition, est rentable. *Sanctuaire*, chef-d'œuvre de noirceur sur l'implacable puissance du mal, sera son premier vrai succès de librairie.

La corrélation entre la mise en scène de violences sexuelles et le succès critique et commercial, observables dans tous les arts, va bien au-delà du cas singulier de Faulkner. C'est un constat, et une énigme : pourquoi la haine, le mépris, l'avilissement ou la réification des femmes sont-ils des thèmes aussi populaires ? Et depuis si longtemps ?

« L'art d'Occident ne sait parler de sexe que sur un *seul* mode : la violence, affirme Régis Michel, conservateur en chef au musée du Louvre. Il vaudrait mieux dire le *viol*. L'obsession sexuelle de l'art occidental, c'est le viol. (…) L'indigence du discours est inversement proportionnelle au raffinement de la forme. On demeure *stupéfait* par l'aptitude des artistes à décliner avec brio un argumentaire aussi funeste. Et aussi tenace : de la Renaissance à la modernité, cette iconographie pulsionnelle a persévéré dans son être, sans altération profonde. On dira sans doute que l'on exagère. À tort. C'est que l'habitude nous rend aveugles [82]. »

Ce que l'art esthétise, érotise et perpétue prendrait sa source dans des mythes ancrés dans l'inconscient collectif. Dans les années 1970, la sociologie et le féminisme radical américain ont entrepris d'analyser, sous le terme de *culture du viol*, les préjugés et les stéréotypes de genres qui conduisent à la banalisation des violences sexuelles – auxquelles la culture nous a, en effet, rendus aveugles. Le concept entendait interroger la normalisation de pratiques, de valeurs et de discours prévalant dans les mentalités, que traduirait, *grosso modo*, le schéma suivant. D'un côté, la victime serait le plus souvent consentante, lorsqu'elle n'a pas provoqué l'agression par une tenue suggestive, et ment ou exagère au moment de relater les faits – combien de femmes n'ont pas témoigné du discrédit que leur oppose la police lorsqu'elles portent plainte. De l'autre, l'agresseur serait un homme inconnu et isolé, victime de pulsions irrépressibles – les études ont montré que dans 8 cas sur 10, la victime connaît l'agresseur, qui est un proche. Ce discours qui intervertit les responsabilités en accablant les femmes et justifie le viol comme un phénomène à la fois marginal et incontrôlable chez l'homme, continue d'exercer son influence. Une étude datant de 2015 montre par exemple que 21 % des Français considèrent que les femmes peuvent prendre du plaisir à être forcées et 19 % estiment que lorsqu'elles disent « non », ça veut dire « oui »[83].

De tous les arts qui ont illustré cette culture du viol impliquant la subordination des femmes à l'ordre patriarcal, le cinéma offre l'exemple le plus spectaculaire – dans tous les sens du terme. Des « baisers volés » au viol proprement dit, du sexisme ordinaire aux rapports forcés, la mise en scène de la domination masculine est un trait qui a été maintes fois analysé par la critique féministe[84]. Et il ne s'agit pas seulement du machisme de Rhett Butler, de James Bond, d'Indiana Jones ou de n'importe quel super-héros, mais bien du cinéma dit d'auteur. De *Blow-Up* (Michelangelo Antonioni, 1969) à *Elle* (Paul Verhoeven, 2016) en passant par *Orange mécanique* (Stanley Kubrick, 1971), *Le Dernier Tango à Paris* (Bernardo Bertolucci, 1972),

Les Valseuses (Bertrand Blier, 1974), *Breaking the Waves* (Lars von Trier, 1996), *Irréversible* (Gaspard Noé, 2002) ou *Parle avec elle* (Pedro Almodóvar, 2002), d'Alfred Hitchcock à Woody Allen et de Jean-Luc Godard à Federico Fellini, le canon du cinéma occidental offre une remarquable continuité dans sa vision des femmes et son impuissance à leur accorder une place en tant que *sujets actifs* – rappelons que, encore aujourd'hui, seuls 23 % des films prennent une femme pour personnage principal, les femmes étant le plus souvent cantonnées à des rôles de serveuses, caissières, secrétaires, etc., toujours dépendantes d'un homme[85]. Le fameux «test de Bechdel[86]» permet de s'en rendre compte sans efforts. Il consiste à poser cette question en trois parties et d'essayer de trouver un film qui y réponde par l'affirmative : y a-t-il deux personnages féminins identifiables dans l'histoire, ayant une conversation ensemble, portant sur un autre sujet qu'un personnage masculin ? Bonne chance. Tous les *blockbusters* – et la majorité du reste – y échouent.

Faut-il le rappeler ? La représentation du sexisme et de la violence envers les femmes ne fait pas nécessairement du metteur en scène un misogyne ou du film une apologie du viol – il peut au contraire en être la dénonciation et la critique. Il n'en demeure pas moins que la réification persistante des femmes, l'ambiguïté, entre voyeurisme et répulsion, qui pèse sur les scènes de violences sexuelles et la récurrence tenace du motif du viol jusque dans les séries télévisées actuelles (voyez *Game of Thrones*, par exemple), appellent à réinterroger, aujourd'hui plus que jamais, la place des femmes au cinéma[87]. Et ce n'est pas le moindre des mérites de l'après-Weinstein que de réactualiser un débat qui, pour être déjà ancien, demeure un enjeu intact.

Le fondement de cet enjeu est théorique. Il est ramassé, par métonymie, dans l'une des plus célèbres références de la cinéphilie, dite du «travelling de *Kapo*». En 1961, Jacques Rivette écrivait dans les *Cahiers du cinéma* un très court article destiné à une très longue renommée. «De l'abjection» est une critique virulente de *Kapo*, film sur les camps de concentration signé de Gillo Pontecorvo. Un passage de l'article va devenir le bréviaire de toute une génération : «Voyez cependant, dans *Kapo*, le plan où [Emmanuelle] Riva se suicide, en se jetant sur les barbelés électrifiés ; l'homme qui décide, à ce moment, de faire un travelling avant pour recadrer le cadavre en contre-plongée, en prenant soin d'inscrire exactement la main levée dans un angle de son cadrage final, cet homme n'a droit qu'au plus profond mépris[88].» En d'autres termes, l'éthique est intégrale à la forme. Quel que soit le sujet – et la représentation de l'Holocauste, *a fortiori* dans la fiction, était à l'époque l'objet d'une vive polémique –, seul compte le «point de vue» de l'auteur. L'obscénité formelle du travelling de *Kapo* condamnait moralement tout le film, et ce, quelles qu'aient été les intentions du cinéaste – aux opinions politiques d'extrême gauche. Luc Moullet, qui travaillait aux *Cahiers*, avait déjà eu l'occasion de dire : « La morale est affaire de travellings », formule retournée par Godard qui dira : « Le travelling est affaire de morale[89]. » Il n'est pas exagéré de dire que tout le cinéma d'auteur tient dans ces équations.

Ce principe fondateur de l'orthodoxie cinéphilique s'inscrit dans une tradition plus ancienne et plus large. « Depuis le romantisme seulement, écrit Walter Benjamin, l'idée s'est imposée qu'une œuvre d'art pourrait être saisie dans sa nature véritable dès lors qu'on la contemple pour elle-même, indépendamment de son rapport à la théorie ou à la morale, et qu'elle pourrait se suffire de ce regard[90]. » L'œuvre n'est plus la trace d'un programme idéologique, moral ou religieux, c'est-à-dire un *document*, mais un *monument*. Intransitive, elle ne renvoie qu'à elle-même. Autonome, elle est « une manière absolue de voir les choses » (Flaubert). Cette morale plus haute, supérieure, de l'art et de la toute-puissance de l'œuvre, exclut en toute logique de « réduire » (comme on l'entend si souvent) un film à son sujet et, partant, à de triviales considérations d'inégalités de genres, puisque la pertinence du propos dépendrait exclusivement de la justesse de la forme. Peu importe donc que les femmes soient systématiquement réifiées, un film n'est pas un vulgaire commentaire sur la société mais une allégorie du monde saisie par une vision d'artiste.

En 1992, Serge Daney revenait longuement sur «le travelling de *Kapo*» dont il reconnaissait avoir tôt fait son «dogme portatif, l'axiome qui ne se discutait pas, le point limite de tout débat». L'adolescent marqué à jamais par *Nuit et Brouillard* s'interrogeait quelque temps plus tard: «Héritier consciencieux, ciné-fils modèle, avec "le travelling de *Kapo*" comme grigri protecteur, je ne laissais pas filer les années sans une sourde appréhension: et si le grigri perdait son efficace?» Cette interrogation angoissée correspond à une réflexion sur la fin de l'histoire, de la Shoah au génocide cambodgien, avec la menace nucléaire pour horizon, et parallèle à une forme de deuil inconsolable de la cinéphilie, persuadée qu'un film «ne se voyait pas» mais «se lisait». «Les images ne sont plus du côté de la vérité dialectique du "voir" et du "montrer", elles sont entièrement passées du côté de la promotion, de la publicité, c'est-à-dire du pouvoir. Il est donc trop tard pour ne pas commencer à travailler à ce qui reste, à savoir la légende posthume et dorée de ce que fut le cinéma.» Ce que Daney constate entre les lignes, c'est que *Nuit et Brouillard* n'a pas fait basculer l'antisémitisme dans les poubelles de l'Histoire, l'indignation devant le travelling de *Kapo* n'a pas imposé son impératif catégorique, la politique des auteurs n'a arrêté ni l'horreur, ni l'obscénité, ni surtout ses représentations indécentes. Il en veut pour preuve la sortie en 1979 du feuilleton américain de Marvin Chomsky. «Avec

Holocauste, Marvin Chomsky faisait revenir, modeste et triomphal, notre ennemi esthétique de toujours : le bon gros poster sociologique, avec son casting bien étudié de spécimens souffrants et son son et lumière de portraits-robots animés. La preuve ? C'est vers cette époque que commencèrent à circuler – et à indigner – les écrits faurissonniens. » L'intransigeance morale du formalisme a cédé devant le capitalisme des images et du *storytelling*, la caméra stylo de la politique des auteurs et le cinéma vérité des *Cahiers* tendance Mao ont échoué devant la télévision publicitaire et le climat négationniste. La défaite est moins amère que terriblement mélancolique. Serge Daney, malade du sida, mourra quelques mois après la rédaction de cet article, à l'âge de 48 ans. La mort du cinéma coïncidait avec la sienne propre.

L'un des derniers paragraphes de ce texte magistral mérite d'être cité intégralement :

Il m'avait donc fallu vingt ans pour passer de *mon* «travelling de *Kapo*», à cet *Holocauste* irréprochable. J'avais pris mon temps. La «question» des camps, la question même de ma préhistoire, me serait encore et toujours posée, *mais plus vraiment à travers le cinéma.* Or, c'est par le cinéma que j'avais compris en quoi cette histoire me concernait, par quel bout elle me tenait et sous quelle *forme* – un léger travelling de trop – elle m'était apparue. Il faut être loyal envers le visage de ce qui, un jour, nous a transis. Et toute «forme» est un visage qui nous regarde. C'est pourquoi, je n'ai jamais cru – même si je les ai craints – ceux qui, dès le ciné-club du lycée, pourfendaient avec une voix pleine de condescendance ces pauvres fous – et folles – de «formalistes», coupables de préférer au «contenu» des films la jouissance personnelle de leur «forme». Seul celui qui a buté assez tôt sur la *violence formelle* finira par savoir – mais il y faut une vie, la sienne – en quoi cette violence, aussi, a un «fond». Et le moment viendra toujours assez tôt pour lui de mourir guéri, ayant troqué l'énigme des figures singulières de son histoire pour les banalités du «cinéma-reflet-de-la-société» et autres questions graves et nécessairement sans réponses. La forme est désir, le fond n'est que la toile quand nous n'y sommes plus[91].»

Cet adieu au cinéma, ou plutôt à une *certaine* conception du cinéma, semble signer simultanément, avec la mort de Serge Daney, la disparition d'une *certaine* critique. Vingt-cinq ans plus tard, quel.le est le ou la critique qui peut se prévaloir d'une telle vigueur de pensée? Au contraire, il semblerait que la critique française soit restée bloquée au lieu où Daney l'a laissée, incapable de dépasser son constat terminal, qui appelait pourtant, à l'image d'une conversation laissée en plan, à un relais vigoureux. Comme si l'oukase de Rivette, qui définissait d'une sentence quasi religieuse l'espace sacré du cinéma, survivait, erratique et solitaire, dans un monde qui n'a plus rien à voir avec la cérémonie cinéphilique, ses fétichisations du signe pur et sa morale supérieure.

Le credo formaliste refuse naturellement de prendre en compte ce qu'on a appelé la fonction sociale du cinéma, soit la critique des représentations sociales mise en œuvre par les films eux-mêmes, ainsi que l'analyse de leurs conditions de production et de réception. C'est dans ce cadre que la critique féministe a révélé un véritable impensé politique du cinéma, à travers son traitement de l'«autre sexe», de la femme fatale à la femme objet, comme la critique issue des études postcoloniales s'attache à décrypter les impensés du regard porté sur les populations racisées. En 1975, la Britannique Laura Mulvey proposera un concept destiné à faire florès et que le mouvement #MeToo s'est réapproprié : le «*male gaze*». Cette théorie du «regard masculin», élaboré à partir des outils de la psychanalyse, désigne le fait d'imposer au cinéma une perspective d'homme hétérosexuel sur les femmes, systématiquement «porteuses de sens et non créatrices de sens[92]». Cette perspective est celle de la caméra, des personnages dans le film mais aussi du spectateur. Elle touche toute la culture visuelle et s'avère particulièrement opérante dans la publicité.

On a avancé que cette vision univoque et souvent dégradante des femmes s'expliquait par le fait que le cinéma était dominé, à une écrasante majorité, par des hommes. On trouvera toujours des exceptions à cette règle : *Portier de nuit*, terrifiante fable sadomasochiste entre un ancien nazi et une femme juive sexuellement galvanisée par la soumission, a été réalisé par une femme, Liliana Cavani ; *Thelma et Louise*, réjouissant *road-movie* néoféministe, a été tourné par un homme, Ridley Scott. L'explication essentialiste est toujours insatisfaisante théoriquement. À ce compte, chacun.e défendrait sa chapelle d'origine, les juifs seraient tous sionistes et tous les hommes, machistes. Or il y a, comme on sait, des gays homophobes et des femmes misogynes. Mais une fois qu'on a dit ça, on n'a pas dit grand-chose.

Pour être trop courte, l'explication par les quotas n'en est pas moins pertinente en tant que revendication politique. Que les instances du cinéma commencent par introduire l'égalité, l'inclusion de toutes les expériences et la diversité de toutes les perspectives, c'est seulement à ce prix que le jugement aura quelque valeur. Mais nous sommes pour l'heure très loin d'avoir atteint cette étape. Dans l'industrie du rêve, le fameux « plafond de verre » ressemble plutôt à une chape de plomb. En France, 21 % des films agréés en 2015 étaient réalisés par des femmes. Le salaire moyen d'une réalisatrice de long-métrage est inférieur de 42,3 % à celui d'un réalisateur. Aux États-Unis, les femmes comptent pour 28 % de l'ensemble de la création cinématographique (réalisation, production, écriture de scénario, direction de la photographie, etc.), dont 7 % seulement pour la réalisation. Les 250 films les plus importants de l'année 2017 ont été réalisés à 88 % par des hommes[93]. Car les producteurs – très majoritairement des hommes – rechignent à s'engager auprès des créatrices, soumises à un véritable parcours de la combattante pour faire exister leurs projets.

L'argent, au cinéma plus qu'ailleurs, est bien le nerf de la guerre. Le rôle de la critique constitue l'autre élément déterminant. Elle est, là encore, massivement occupée par des hommes dans la plupart des médias, spécialement dans la presse écrite[94]. Par ailleurs, la sélection des festivals, la composition des jurys et l'attribution des prix créent tous les ans une polémique sur la place des femmes, des Noirs et des minorités. En 2018, Kathryn Bigelow reste la seule femme à avoir reçu l'Oscar du Best Director (*The Hurt Locker, – Démineurs*, 2009) décerné par une Academy Awards fondée en 1929, Jane Campion la seule femme à avoir remporté une demi-Palme d'or à Cannes (*La Leçon de piano*, 1993), partagée avec Chen Kaige (*Adieu ma concubine*), dans le cadre d'un festival créé en 1946, et Tonie Marshall la seule femme à obtenir le César du «meilleur réalisateur» (*Vénus Beauté (Institut)*, 2000) attribué par une organisation instituée en 1975...

Si les chiffres sont pareillement accablants en France et aux États-Unis, l'interprétation de l'affaire Weinstein et ses conséquences se sont avérées, sans surprise, radicalement différentes de chaque côté de l'Atlantique.

En France, la résistance s'est cristallisée très tôt autour de l'«affaire Polanski», qui a opposé les groupes féministes à la cinémathèque française, à l'occasion d'une rétrospective consacrée au metteur en scène en octobre 2017, en pleine affaire Weinstein. Ce n'est pas la première fois que la présence du cinéaste à une cérémonie officielle suscite le tollé. En janvier 2017, Polanski avait dû renoncer à présider les Césars, sous la pression des féministes, appuyées par la ministre des Droits des femmes, Laurence Rossignol. De quoi est accusé Polanski? De s'être dérobé à la justice américaine, dans une affaire de viol en 1977 contre Samantha Gailey (aujourd'hui Geimer), alors âgée de 13 ans, dans la maison de Jack Nicholson, sur Mulholland Drive. Polanski, qui avait reconnu avoir eu des relations sexuelles illégales avec l'adolescente, à qui il avait fait boire du champagne et absorber du quaalude avant de la sodomiser, craignait d'écoper de la peine maximale, malgré l'accord trouvé avec le juge. Il avait alors fui les États-Unis et rejoint Paris, sa ville natale, où il vit toujours.

Plusieurs fois inquiété et menacé d'extradition lors de séjours en Pologne et en Suisse, mais protégé par la France, Polanski, qui a fini par trouver un accord financier avec Samantha Geimer, a été «pardonné» par sa victime. Elle réclame depuis sans succès à la cour de Californie d'abandonner les poursuites et de classer l'affaire. Quarante ans plus tard, Polanski réclame le droit à l'indifférence et refuse d'évoquer cette affaire. Lors d'une interview en 2017, il intimera même à Léa Salamé de changer de sujet sans quoi, la menaça-t-il : «Je vais vous pulvériser[95].»

Quarante ans, c'est bien plus que le délai de prescription. Samantha Geimer a non seulement pardonné, mais voudrait elle aussi tourner la page. Si bien que l'on peut s'interroger sur l'acharnement de la justice américaine et la persistance à évoquer ce chapitre de sa vie. Mais, depuis 2010, le cinéaste a été accusé de viol et d'agression sexuelle sur mineure par trois autres femmes, Charlotte Lewis, Renate Langer, et Marianne Barnard, alors âgées de 16, 15 et 10 ans au moment des faits, remontant aux années 70 et 80. Depuis l'affaire Weinstein, six plaintes supplémentaires, pour la plupart sous couvert d'anonymat, ont été signalées. Au total, ce sont donc dix accusations qui visent Roman Polanski. Il les dénie toutes. Ce qu'il ne dénie pas, en revanche, c'est son goût pour les très jeunes filles. Un an après avoir fui les États-Unis, il donnait une interview à Martin Amis où il s'exclamait : «Les juges veulent coucher avec des jeunes filles. Les jurés veulent coucher avec des jeunes filles – tout le monde veut coucher avec des jeunes filles !» Amis, apparemment sous le choc, notait : «Même Humbert Humbert [le héros de *Lolita*] se rendait compte que les jeunes filles ne savent pas si elles sont consentantes ou non. Le pédophile actif est un voleur d'enfance. Polanski, on le sent, n'a jamais même essayé de comprendre cela[96].»

Lors de l'arrestation de Polanski à Zurich en 2009, Bernard-Henri Lévy, défenseur, on s'en souvient, de cet « ami des femmes » qu'est Dominique Strauss-Kahn, avait lancé une pétition en faveur du metteur en scène. Woody Allen, Pedro Almodóvar, Martin Scorsese, Stephen Frears, Wim Wenders, David Lynch mais aussi Fanny Ardant, Tilda Swinton, Tonie Marshall, Nadine Trintignant ou Natalie Portman[97] avaient fait bloc derrière le cinéaste, finalement relâché. Au nombre des signataires, on trouvait également Harvey Weinstein, enrôlé par Thierry Frémaux, délégué général du Festival de Cannes et ami personnel de Polanski. Weinstein s'était même fendu d'une lettre ouverte où il déclarait : « Quoi qu'on pense de son *soi-disant crime*, Polanski a purgé sa peine[98]. » Autre soutien d'alors, Costa-Gavras, président de la Cinémathèque, déclare en ouverture de la rétrospective en octobre 2017, tandis que les féministes manifestent à l'extérieur, sa « fierté » de recevoir Polanski : « Il n'a pas été question une seconde de renoncer à cette rétrospective sous la pression de je ne sais quelle circonstance étrangère à la Cinémathèque comme à Polanski, et des amalgames les plus douteux et les plus injurieux. La Cinémathèque est fidèle à son indépendance à l'égard de tous les pouvoirs et de tous les lobbies, fidèle à ses valeurs et à sa tradition qui est d'être la maison commune des cinéastes[99]. »

Mais la réaction la plus énervée – on hésite à écrire hystérique – viendra de Frédéric Bonnaud, directeur de la Cinémathèque, outré par ce «choc totalitaire» orchestré par des «demi-folles»[100]. Le directeur de la Cinémathèque devra néanmoins renoncer à la rétrospective prévue en janvier autour de l'œuvre de Jean-Claude Brisseau, condamné en 2005 à un an de prison avec sursis et à 15 000 euros d'amende pour harcèlement sexuel sur deux actrices, puis à nouveau condamné pour les mêmes charges sur une troisième actrice en 2006[101]. Ce renoncement n'a rien à voir avec la déontologie, mais avec des questions de moyens. Le service d'ordre, *dixit* Bonnaud, aurait tout simplement coûté trop cher.

Le 19 janvier 2018, nouvel incident. Dans le cadre d'une rétrospective du cinéma lituanien, le metteur en scène Sharunas Bartas dialogue avec le public. Une spectatrice, après l'avoir remercié de ses commentaires sur la censure en Russie, lui demande s'il a l'intention de répondre aux accusations d'agression sexuelle qui pèsent sur lui, venant de deux jeunes femmes. Le micro lui est alors confisqué. «On est ici pour parler de cinéma. Y a-t-il quelqu'un qui a une vraie question sur le cinéma à poser?» s'entend-elle répondre. Quelques jours plus tard, Médiapart rapporte l'incident comme le «dernier avatar d'une surdité active de l'institution et de sa direction à l'égard des violences faites aux femmes[102]».

Parmi les employé.e.s aussi, la politique du directeur passe mal. À la Cinémathèque, un tract circule, où on peut lire: «Depuis un an, Frédéric

Bonnaud est obsédé par les questions relatives aux femmes et au cinéma, aux dépens de l'image de notre institution. Aujourd'hui, nous en avons assez d'un directeur qui exprime en interne autant de propos insultants sur les femmes, attise les conflits et divise les salariés. Nous attendons que le directeur général d'une institution aussi prestigieuse que la Cinémathèque française ait une approche incluante et pondérée des sujets complexes. » Publiquement soutenu par le CNC, Frédéric Bonnaud garde le cap, apparemment aussi insensible aux protestations des salarié.e.s qu'aux « regrets » publics de la Société des réalisateurs, qui estime que la Cinémathèque n'est pas « à la hauteur du moment [103] » : « Nous déplorons que la Cinémathèque joue la fuite, l'hostilité ou la résistance au débat qu'elle n'arrive manifestement pas à penser dans sa complexité ni même ses grandes lignes », dit le communiqué, signé entre autres de Jacques Audiard, Bertrand Bonello, Catherine Corsini, Pascale Ferran et Céline Sciamma.

L'affaire Polanski et, d'une façon plus générale, la politique de la Cinémathèque sont un révélateur de la réaction institutionnelle française à l'affaire Weinstein. Aux deux questions classiques : doit-on séparer l'œuvre de la vie ? un artiste mérite-t-il d'être célébré en personne malgré les accusations dont il est l'objet ?, la réponse est oui sans hésiter. Le « génie » de Polanski lui confère un statut à part et l'impunité absolue, quand bien même le viol est avéré, la justice contournée et une série d'accusations supplémentaires consignée. Ce dernier élément en particulier donne la mesure de l'importance que l'on accorde en France à la parole des femmes.

L'inauguration par Roman Polanski de la rétrospective consacrée à son œuvre est tombée trois semaines après que Bertrand Cantat a fait la une des *Inrockuptibles*. Dans les deux cas, la polémique a dépassé de beaucoup les cercles féministes, pour devenir l'objet d'un débat public. L'artiste est-il distinct de l'homme privé ? Doit-on célébrer publiquement un homme qui a commis, au su de tous, des violences contre des femmes ? Très vite, le problème s'est concentré sur la présence physique de l'artiste et sa promotion personnelle sous les applaudissements, et non sur son œuvre que, contrairement à ce que disent les intéressés, personne n'a songé à censurer ou interdire. Sous quel prétexte et selon quelle loi Roman Polanski ou Bertrand Cantat seraient-ils empêchés d'exercer leur métier ? Libre au public d'aller voir les films de l'un et d'écouter les disques de l'autre – ou pas. Les cas Polanski et Cantat sont très différents pour au moins deux raisons. L'un a échappé à la justice, l'autre a purgé sa peine. Et si l'un pourrait se contenter de rester derrière sa caméra, l'autre exerce un métier qui inclut des performances scéniques. Cantat, qui revendique le droit à l'oubli, a choisi d'entamer une tournée de concerts. Comment se dire à la fois «rongé de culpabilité» et se livrer à l'adoration du public ? Comment crier à la censure et se faire passer pour un martyr, parce que des groupes exercent leur liberté d'expression en protestant contre des événements dont l'ambiguïté crée un malaise grandissant ?

Mais, surtout, quelle signification revêtent ces invitations publiques – subventionnées par l'État – et ces hommages rendus avec une visibilité toujours associée au prestige, dont ils sont les héros ? Les honorer est-il vraiment une priorité ? Ne serait-il pas mieux venu de célébrer des hommes et des femmes dont la personne n'est pas nécessairement associée au crime – par exemple ? Perversité toute française ? Quoi que l'on dise de la puritaine Amérique, où sévirait l'« ordre moral », Hollywood n'a cessé de célébrer Polanski, en lui attribuant notamment l'Oscar du meilleur réalisateur pour *Tess* (1979) et *Le Pianiste* (2002) qui remporta également l'Oscar du meilleur film. Par ailleurs, de Johnny Depp à Kate Winslet, et de Sigourney Weaver à Pierce Brosnan, on ne compte plus les acteurs et les actrices qui ont accepté sans états d'âme de jouer dans ses films.

Aux États-Unis, on le sait, les réactions à l'affaire Weinstein ont pris d'entrée de jeu une tournure radicale, comme si les tribunaux révolutionnaires avaient soudain sauté d'une côte atlantique à l'autre. La tolérance zéro, à coups de renvois immédiats, d'aveux publics suivis de démissions et de suspensions tous azimuts, a choqué. Elle s'est accompagnée d'un débat d'une ampleur inattendue et de réponses concrètes – enquêtes, poursuites, création d'associations. Les femmes ont parlé, elles ont été entendues, elles agissent. Impossible d'ignorer désormais «*the elephant in the room*», selon l'expression consacrée, soit le problème évident dont personne ne veut parler.

Le scandale a touché des centaines de personnes à Hollywood. Un exemple intéressant est celui de Kevin Spacey. Avant l'affaire Weinstein, l'acteur aurait sans doute trouvé un accord financier pour réduire ses accusateurs au silence – il n'est d'ailleurs par déraisonnable de penser qu'en quarante ans d'homosexualité clandestine, Kevin Spacey ait eu recours à ce type de négociations. Après l'affaire Weinstein, l'acteur, dont la carrière a été ruinée en vingt-quatre heures, s'est fait *effacer* du film de Ridley Scott, le bien-nommé *Tout l'argent du monde*. Depuis l'Europe, on a vu dans cette éviction, il faut bien le dire spectaculaire, le spectre du puritanisme à l'américaine (*bis repetita placent*) et d'une nouvelle chasse aux sorcières. Ridley Scott a pourtant été très clair en répondant aux journalistes et sans s'émouvoir : «*It is a business decision.*» Son film n'avait plus aucune chance avec un harceleur à l'affiche. *Exit*, donc, le harceleur – dont la nature précise des exactions sexuelles présumées est ici, on l'aura compris, un problème très secondaire. On mésestime toujours à quel point le puritanisme est si souvent le cache-sexe du *business*.

L'affaire a entraîné un autre scandale, lié au premier : la révélation tardive des cachets secrets touchés par les deux autres acteurs principaux, obligés de tourner à nouveau les scènes où ils figuraient avec Spacey, désormais remplacé par Christopher Plummer. Officiellement, Mark Wahlberg et Michelle Williams auraient accepté ce re-tournage partiel gratuitement. Il s'avérera en réalité que le premier a touché 1,5 million de dollars et la seconde, sur laquelle repose le film, 800 dollars de *per diem*, soit environ 10 000 dollars en tout. Nouveau tollé, aussitôt géré en urgence pour sauver la réputation de Wahlberg et celle du film, avec le don par l'acteur de l'intégralité de son cachet de 1,5 million de dollars à Time's Up, au nom de Michelle Williams.

Il y a deux façons de considérer cette affaire.

L'une, pessimiste – d'aucuns diront : objective ou cynique –, est de penser qu'à toutes les étapes de cette dernière, le fameux *liability management* (gestion des dommages potentiels) a prévalu, afin d'assurer, *sous couvert de le corriger*, la survie d'un système corrompu à la racine, qui privilégie les hommes. Mieux que de se préoccuper de la réalité du harcèlement sexuel ou de l'égalité des salaires entre les hommes et les femmes, Hollywood colmate les brèches à coups de millions, destinés à démontrer son engagement auprès des victimes et des femmes. Mais qui cette hypocrisie peut-elle illusionner ?

L'autre, optimiste, est de penser que l'affaire Weinstein a produit une prise de conscience réelle, suivie d'effets durables. Les retournements de nombre de comédien.ne.s quant à l'attitude à adopter vis-à-vis de Woody Allen – lequel fut d'ailleurs imprudemment le premier à relativiser l'affaire Weinstein – en seraient l'exemple.

L'affaire est complexe. En 1992, le metteur en scène (57 ans), en couple depuis quelques mois avec Soon Yi Previn (19 ou 21 ans[104]), la fille adoptive de sa compagne Mia Farrow, est accusé d'avoir abusé sexuellement d'une autre fille de l'actrice qu'il a, elle, officiellement adoptée, Dylan Farrow, alors âgée de 7 ans. Le scandale fait la une de tous les journaux. D'après les proches, Woody Allen était obsédé par cette petite fille qui, dans les derniers temps, s'enfermait dans la salle de bains plusieurs heures durant dès qu'Allen arrivait dans la maison. L'enquête, menée au sein d'une famille déchirée par un inceste (Allen est une figure paternelle pour Soon Yi depuis l'enfance, même s'il ne l'a pas adoptée officiellement), comporte des rapports et des témoignages discordants. Malgré de persistantes zones d'ombre, elle se soldera par la disculpation de Woody Allen, à deux reprises. Celui-ci a toujours clamé son innocence.

À peine l'affaire Weinstein a-t-elle éclaté, Dylan, qui maintient ses accusations depuis le début, donne pour la première fois une interview télévisée, où elle témoigne de sa souffrance à voir son père – et beau-frère – continuer à être plébiscité par Hollywood. Avant même la diffusion de cet entretien, la star montante de la planète cinéma, Timothée Chalamet (né en 1995), regrettait sur son compte Instagram avoir tourné avec Woody Allen *A Rainy Day in New York* (2018) et annonçait reverser son salaire à trois associations, Time's Up, The LGBT Center in New York et RAINN. Colin Firth (*Magic in the Moonlight*, 2014) et plusieurs actrices dont Greta Gerwig (*To Rome with Love*, 2012) ou Marion Cotillard (*Midnight in Paris*, 2011) ont depuis pris leurs distances avec le metteur en scène, cette dernière plaidant le manque d'informations. Tardif rachat de virginité ? Il était impossible d'ignorer, à l'époque de leur collaboration, les allégations contre Woody Allen, serpent de mer de Hollywood et scie des tabloïds. La pression s'est intensifiée en 2013, avec un long article dans *Vanity Fair*, puis début 2014, lorsque Dylan a envoyé au *New York Times* un texte où elle s'étonnait de voir partout le cinéaste célébré, comme si rien ne s'était passé : « Lorsque j'avais sept ans, Woody Allen m'a prise par la main et m'a menée au grenier sombre et étroit situé au troisième étage de la maison. Il m'a demandé de m'allonger sur le ventre et de jouer avec le train électrique de mon frère. Il m'a alors agressée sexuellement. Il me parlait tout en le faisant, murmurant que j'étais une gentille petite fille, que ce serait notre secret, me promettant de m'emmener à Paris et que je serai une star dans ses films. » Dylan concluait : « Et si ça avait été votre enfant, Cate Blanchett ? Louis C.K. ? Alec Baldwin ? Et si cela avait été vous, Emma Stone ? Ou vous, Scarlett Johansson ? Tu m'as connue petite fille,

Diane Keaton. M'as-tu oubliée ? Woody Allen est la preuve vivante de la façon dont notre société échoue à protéger les survivant.e.s d'abus et d'agressions sexuelles [105]. »

En 2016, son frère, Ronan Farrow – qui, rappelons-le, sera à l'origine de la chute de Weinstein – donnait à *The Hollywood Reporter* un texte où il soutenait sa sœur, décrivait la terrifiante machine d'intimidation mise en branle par Woody Allen pour décourager les acteurs de se prononcer sur cette affaire, et livrait un témoignage perturbant : « Même à 5 ans, j'étais troublé par le comportement étrange de notre père à son égard : il grimpait sur son lit au milieu de la nuit, et l'obligeait à sucer son pouce [à lui] – comportement qui l'a poussé à entrer en thérapie pour comprendre sa conduite inappropriée avec les enfants, avant même d'être visé par les allégations. » Il rappelle encore que la dernière disposition légale concernant la garde des enfants – perdue par Woody Allen – parle de comportement « extrêmement inapproprié » et souligne que « des mesures doivent être prises pour protéger Dylan [106] ». Malgré la gravité des éléments à charge, suffisants pour justifier un procès selon le procureur, les poursuites seront abandonnées dans le but d'épargner la petite fille, éprouvée par les interrogatoires en série et le battage médiatique. Mais rares sont encore en 2016 les acteurs ou les actrices à prendre parti pour Dylan, à l'image de Susan Sarandon, qui déclara au Festival de Cannes : « Je crois qu'il a agressé sexuellement une enfant et que ce n'est pas acceptable. Je n'ai rien de positif à dire à son propos. » Rachel Brosnahan (*Crisis in Six Scenes*, 2016) a, elle, avoué avoir eu un cas de conscience au moment d'accepter de tourner avec Woody Allen. Elle reconnaît aujourd'hui : « C'est la décision de ma vie la plus incohérente avec tout ce que je défends et ce en quoi je crois, publiquement et en privé[107]. » Quant à Kate Winslet, elle déclarait en septembre 2017 à la question de savoir si elle avait hésité avec d'accepter de tourner avec Woody Allen : « J'y ai bien réfléchi et j'ai décidé de mettre cela [les allégations d'agressions sexuelles] de côté et de travailler avec la personne. Woody Allen est un metteur en scène incroyable. Comme Roman Polanski. J'ai vécu une expérience extraordinaire en travaillant avec ces deux hommes, et c'est la vérité[108]. » Ce qui rend son allocution au London Critics' Circle en janvier 2018 d'autant plus impudente, puisqu'après avoir rendu hommage à la marche des femmes et à la lutte contre « le harcèlement, l'exploitation et les abus », elle a sans ciller confié ses « regrets amers d'avoir pris de mauvaises décisions en travaillant avec des individus avec lesquels [elle]n'aurai[t] pas dû collaborer[109]. »

Jusqu'à l'affaire Weinstein, on *ne pouvait pas* refuser un film proposé par Woody Allen. Aujourd'hui, on *ne peut pas* accepter un film proposé par Woody Allen. Que s'est-il passé dans l'intervalle ? De quelle nature a été le basculement entre l'aveuglement volontaire, la complaisance et l'indignation publique? Comment se fait-il que vingt-cinq ans plus tard, alors qu'aucun élément supplémentaire ne soit venu corroborer ou contredire une affaire *a priori* classée, le retournement – hypocrite ou non, là n'est même pas le problème – soit total, à l'exception de Diane Keaton et Alec Baldwin, qui soutiennent le cinéaste? L'affaire Weinstein aurait-elle rendu *audibles* pour la première fois des accusations mille fois entendues, auxquelles on prêtait jusque-là une attention distraite et que l'on préférait ignorer par opportunisme? La revalorisation de la parole des victimes a eu pour conséquence l'inversion de la charge de la preuve. Ce n'est plus à Dylan de prouver que son père est coupable, c'est à Woody Allen de prouver qu'il est innocent. Après avoir penché violemment d'un côté, le balancier pencherait désormais de l'autre. Certain.e.s estiment que la rançon de cette correction – comme on parle de correction des marchés – est excessive et le climat de rétorsion dangereux. «Il y a ceux qui sont à l'aise dans leurs certitudes. Moi pas. Je ne connais pas la vérité. Lorsque nous condamnons par instinct, notre démocratie est sur une pente savonneuse[110]», a déclaré Cherry Jones, à l'affiche de *A Rainy Day in New York*, film en postproduction qui a vu la plupart des acteurs et des actrices reverser leurs salaires à des associations, afin de se désolidariser du metteur en scène. Cherry Jones a certainement raison sur le principe. Mais ce principe est pris dans une histoire. Or l'ampleur du mouvement #MeToo et des milliers d'accusations avérées a montré que cette même démocratie s'était jusque-là très bien accommodée *par instinct* d'un système fondé sur l'abus de pouvoir, l'intimidation et la réduction des femmes au silence. Rompre avec ce système exige de remettre en question le blanc-seing accordé *par instinct* à Woody Allen, et interroger la surdité délibérée de Hollywood *par instinct* aux accusations de Dylan Farrow. Woody Allen et Dylan Farrow sont les deux seules personnes au monde à savoir ce qui s'est vraiment passé. Il ne s'agit pas de *croire* l'un ou l'autre. Mais de prendre en considération une voix qu'une culture a dévalorisée et qu'un mouvement mondial a réhabilitée. D'autant que l'affaire ne s'arrête pas là.

L'embrasement à l'échelle planétaire qui a suivi l'affaire Weinstein a obligé le monde du cinéma, foyer de l'incendie, à prendre conscience d'une situation qui n'affectait pas Hollywood seulement dans ses *pratiques* – le comportement délictueux des producteurs, metteurs en scène, acteurs, etc. – mais aussi dans ses *représentations* – la vision des femmes et des rapports hommes-femmes à l'écran. Logiquement, serait-on tenté de dire, la critique américaine s'est alors interrogée sur le lien entre les deux, et les équations éventuelles entre l'homme et l'artiste, la vie et l'œuvre, la réalité et la fiction – vieux serpent de mer qui resurgit à intervalles réguliers et sempiternelle pierre d'achoppement de la critique.

En France, surtout, cette tentative d'établir des passerelles est le plus souvent regardée comme sacrilège, en partie parce que la séparation du « moi social » du moi créateur établie par Proust dans son *Contre Sainte-Beuve* fait partie de ces dogmes, souvent mal compris, qui ne sauraient être remis en question sous peine de blasphème contre la modernité. Mais proclamer l'étanchéité totale entre la vie de l'artiste et son œuvre (ce que Proust se garde de faire) n'est-il pas aussi absurde que de prétendre, comme le voudrait *prétendument* la méthode de Sainte-Beuve, à l'explication de l'œuvre par la vie de l'auteur ? En vérité, Proust ne déclare pas plus de rupture absolue entre les deux que Sainte-Beuve de continuité parfaite. Pour Proust, il s'agit plutôt de comprendre, comme le dit très bien Marc Escola, l'« hiatus » entre la personne privée et l'instance créatrice. Or le « biographisme » en vogue à l'époque, présenté comme une méthode herméneutique quasi infaillible, présentait bien trop de limitations pour saisir, aux yeux de l'écrivain et à juste titre, le mystère de la création. Précisons que Proust n'offre aucune théorie en échange, dans ce texte tout en détours, publié pour la première fois en 1954, dont on a surtout retenu la fameuse citation : « Un livre est le produit d'un autre moi que celui que nous manifestons dans nos habitudes, dans la société, dans nos vices. Ce moi-là, si nous voulons essayer de le comprendre, c'est au fond de nous-mêmes, en essayant de le recréer en nous, que nous pouvons y parvenir.» Les déformations paresseuses du temps et de l'habitude ont fini par réduire cette idée complexe de «recréation» à une sentence d'un simplisme regrettable: l'auteur n'aurait rien à voir avec l'homme et – surtout – ne saurait en aucun cas assumer ses «vices[111]». Ce détail prend tout son sens lorsqu'on sait la hantise de Proust à l'idée que son homosexualité soit révélée.

Dans «La mort de l'auteur» (1968), Roland Barthes pousse, en quelque sorte, le raisonnement plus loin. Son point de départ est le même que pour Proust, en ceci qu'il s'élève contre le biographisme obsessionnel, selon lequel «l'*explication* de l'œuvre est toujours cherchée du côté de celui qui l'a produite, comme si, à travers l'allégorie plus ou moins transparente de la fiction, c'était toujours finalement la voix d'une seule et même personne, l'*auteur*, qui livrait sa "confidence"». En réalité, et Mallarmé l'a exemplifié le premier, l'œuvre n'aurait d'autre finalité qu'elle-même, de même qu'écrire est une activité intransitive – on n'écrit pas «pour», «en fonction de», «dans le but de». On écrit. Elle n'entend pas exprimer, décrire ou démontrer mais *inscrire*: «C'est le langage qui parle». Dans cet espace anonyme du texte, où rien n'est assigné, naît une nouvelle instance, qui se paie de la mort de l'auteur: le lecteur, «homme sans histoires, sans biographie, sans psychologie», aux prises avec la matérialité du langage et «la condition essentiellement verbale de la littérature[112]».

Cinquante ans après ce texte au titre fracassant, que reste-t-il de la rupture épistémologique introduite par Barthes ? Essentiellement, des questions. Il est à noter d'abord que Barthes a nuancé son postulat théorique dès 1973, date de la publication du *Plaisir du texte*, où l'auteur occis est devenu une « figure », un « fantasme », dont le lecteur aurait besoin pour dialoguer. La réapparition de ce fantôme invalide-t-elle la thèse de départ ? La disparition de l'auteur n'était-elle qu'une nécessité radicale commandée par l'urgence à asseoir une nouvelle critique, débarrassée du positivisme de l'histoire littéraire traditionnelle et son biographisme irritant ? Par ailleurs, le système proposé par Barthes – comme l'hypothèse de Proust, on ne le soulignera jamais assez –, issu du texte et centré sur lui, est-il applicable au cinéma ? La polysémie d'un texte, dont le sens se laisse difficilement enfermer, est-elle celle des images, par définition plus fixées ? L'auteur d'un livre peut-il être comparé à la collectivité auctoriale nécessaire à la création d'un film ?

Quoi qu'il en soit, la critique cinématographique internationale obéit dans son ensemble au respect de la stricte séparation entre la vie des cinéastes et leur œuvre, de la morale et de l'art, au principe que l'on peut être un immense artiste et un meurtrier ou une ordure : voyez Le Caravage ou Céline. L'affaire Weinstein a non seulement ouvert une brèche dans cette tradition, mais a aussi fait ressortir un certain nombre d'incohérences. Combien de fois l'histoire personnelle tragique de Roman Polanski, dont la mère est morte à Auschwitz et la femme, Sharon Tate, enceinte de huit mois, a été sauvagement assassinée par le clan Manson, a été évoquée pour expliquer l'obsession du cinéaste envers la perversité du mal? Combien de fois le «personnage» incarné par Woody Allen dans ses films, juif new-yorkais séducteur maladroit, n'a-t-il pas été comparé à l'original? Dans ces conditions, pourquoi ne pas interroger la pédophilie, l'inceste et le viol comme éléments constitutifs d'une vision du monde transmise dans leurs films? Pourquoi en appeler à certains traits biographiques et pas à d'autres? Ou plutôt: pourquoi mettre systématiquement de côté ce qui a à voir avec la sexualité et l'hétéronormativité à l'œuvre dans le travail de Roman Polanski et de Woody Allen – et de tant d'autres – comme si cela ne nécessitait aucun questionnement[113]?

Depuis l'affaire Weinstein, la critique américaine, ne pouvant plus ignorer «*the elephant in the screening room*» a décidé d'entreprendre un (douloureux) examen de conscience. Les articles se sont succédé dans la presse pour questionner «l'alibi esthétique» et «le mythe du génie artistique[114]» qui excuseraient les abus commis contre les femmes. D'anciennes histoires sont remontées à la surface, comme le récit effarant du tournage du *Dernier Tango à Paris* (1972), où Bertolucci s'était secrètement mis d'accord avec Marlon Brando pour qu'il joue la scène de la sodomie avec Maria

Schneider sans la prévenir, car il voulait capter la réaction de la « femme » et non de l'« actrice », l'art justifiant le viol en direct. Comme quoi, soit dit en passant, l'art et la vie auraient certaines connexions...

La complicité dans l'abjection n'est pas une pratique isolée sur les tournages. Dans *9 semaines ½* (1986), Adrian Lyne s'était entendu avec Mickey Rourke pour qu'il gifle Kim Basinger à l'improviste et sans retenue, afin de rendre à l'écran une douleur authentique. La maltraitance sous prétexte d'exigences formelles a des conséquences. Margaret Hamilton, la sorcière du *Magicien d'Oz* (1939), s'est retrouvée brûlée au deuxième et troisième degré, pour s'être prêtée une quatrième fois, après un essai pourtant concluant, à une simulation d'embrasement qui a mal tourné et lui a laissé des séquelles à vie. Elle confiera plus tard avoir renoncé au procès, car elle savait qu'elle ne serait plus jamais embauchée par la suite. Plus près de nous, Uma Thurman a récemment raconté, outre les agressions sexuelles qu'elle a eu à subir de la part de Harvey Weinstein, l'insistance et les pressions de Quentin Tarantino sur le tournage de *Kill Bill* (2003) afin qu'elle conduise une voiture défectueuse, sur une route sablonneuse, à une vitesse assez vive pour permettre à ses cheveux de voler au vent, malgré ses refus répétés mais vains. Le résultat s'est soldé par un terrible accident qui la conduit à l'hôpital, d'où l'actrice sortira avec une minerve et des douleurs dans le cou qui continuent de la faire souffrir à ce jour. À son retour sur le plateau, elle ne se sentait plus comédienne mais, dit-elle, comme « un outil cassé[115] ».

Risques du métier ? La réification des femmes va au-delà de ces accidents du travail qui se déroulent en coulisses et auraient tous pu être évités. À l'écran, l'image des femmes relève d'une vision tout aussi manipulatrice. Si bien que la critique s'est sentie obligée, depuis l'affaire Weinstein, d'envisager le cinéma comme un tout : une industrie, un art et un espace où l'œuvre est indissociable de la vie, et d'un certain code éthique élémentaire. Ce qui n'a pas manqué de soulever mille polémiques, pour la plupart anciennes. L'artiste est-il un justiciable comme un autre ? Ses méthodes professionnelles ont-elles à rentrer en ligne de compte dans le jugement sur son travail ? Peut-on faire abstraction des maltraitances dans l'évaluation d'une œuvre ? Quel rapport établir entre sa vie personnelle et ses films ?

Le boulet de canon est parti de A. O. Scott, critique principal de la rubrique cinéma au *New York Times* et personnalité très respectée dans le milieu, avec son article intitulé : « Mon problème avec Woody Allen ». Depuis l'enfance, A. O. Scott considère Woody Allen comme un « mentor », un « héros de la culture », un « idéal masculin ». Il a découvert à travers lui le jazz et la littérature russe, Franz Kafka et Marshall McLuhan. Il a lu et relu tous ses écrits, vu et revu tous ses films dès qu'ils sortaient en vidéo. Pour un adolescent «impressionnable, hétérosexuel et pas sportif», Woody Allen était la définition même de l'humour et de la séduction.

Pourtant, estime-t-il, bien des aspects de sa filmographie sont perturbants. Les femmes délaissées par le personnage de Woody Allen apparaissent toujours acariâtres, en demande et ennuyeuses. Celles qui les remplacent sont sensuelles et généreuses et, surtout, plus jeunes. Son obsession et sa condescendance envers les adolescentes depuis *Manhattan*, une forme de cynisme misogyne déguisé sous une névrose sympathique, font partie de ces aspects les plus pénibles, que la critique a délibérément ignorés ou mis de côté. Pourquoi ? C'est ce qui reste à comprendre. A. O. Scott se compte parmi ces critiques fautifs et, geste rarissime, fait amende honorable.

S'élevant contre l'idée «conceptuellement incohérente et intellectuellement boiteuse» selon laquelle l'art est distinct de la vie, A. O. Scott voit même dans la filmographie de Woody Allen des éléments à charge dans sa culpabilité vis-à-vis de Dylan. Une enquête menée par un journaliste du *Washington Post*, qui a consulté pour la première fois les 56 boîtes d'archives déposées par Woody Allen à Princeton, viendrait à l'appui de cette assertion pour le moins hardie. Pathologiquement obsédé par les adolescentes, le cinéaste ne s'embarrasse pas de faire le distinguo entre ses protagonistes et sa propre personne. Dans un brouillon pour le *New Yorker*, décrivant un personnage attiré jusqu'à l'entêtement par une étudiante, Woody Allen reconnaît : « C'est moi » (en français dans le texte). Allen déclare par ailleurs que n'importe quelle actrice avait des « obligations sexuelles[116] » envers lui – coucher pour avoir le rôle. Cette révélation, qui n'étonnera pas le milieu du cinéma, est une chose. Le fait qu'elle figure dans des archives déposées par le cinéaste lui-même, ouvertes à la consultation, dit assez l'impunité et le sentiment de toute-puissance dans lesquels vit Woody Allen.

La réévaluation est l'ordinaire du travail de la critique, rappelle A. O. Scott, avant de conclure : « Je ne vous reprocherai pas d'arrêter de regarder les films de Woody Allen. Mais je pense que certains d'entre nous doivent tout regarder à nouveau depuis le début[117]. » Son invitation à une relecture en profondeur des films de Woody Allen est un chantier et un défi passionnants qui peut s'étendre à n'importe quel.le autre artiste. Elle exige de mobiliser de nouveaux outils d'analyse pour mieux comprendre la généalogie de ce qui unit, dans une solidarité complexe et souvent équivoque, notre imaginaire, nos pratiques sociales et nos valeurs collectives. Mais la critique et le monde du cinéma en général sont-ils prêts à ce travail de remise en question ?

Comme on aurait pu s'y attendre, l'article de A. O. Scott a suscité nombre de réactions dans la presse et sur les réseaux sociaux, dont les plus vives ont consisté à dénoncer les risques d'un « révisionnisme » artistique, qui jetterait à la poubelle, sous prétexte de misogynie et de mauvaise conduite, Hitchcock, Picasso, Hemingway et à peu près tout le canon occidental. Mais qui a parlé d'exclusion ? Ce mauvais procès confond l'exigence critique, indispensable à la vitalité du champ artistique, et le fantasme d'un appel à la censure. C'est une paresse coutumière : crier à l'interdiction, quand il s'agit simplement de porter un regard neuf ou renouvelé, sur une œuvre qui ne devrait rien avoir à craindre. On ne refait pas l'Histoire, dit le proverbe. On passe son temps à ça, au contraire, et c'est heureux. L'art a-t-il à redouter d'un nouvel éclairage ou d'une interprétation inédite ? Pourquoi consacre-t-on régulièrement des expositions à de grands peintres ? C'est bien parce que le Van Gogh des années 1880 n'est pas celui des années 1950 ou 2010. Des archives refont surface, de nouvelles hypothèses sont avancées, des rapprochements sont établis. L'œuvre évolue avec la critique, le livre avec le (re)lecteur.

Pose-t-on le même regard aujourd'hui sur *Autant en emporte le vent*, et la façon dont les Noirs y sont décrits et mis en scène, qu'en 1939, à la sortie du film ? Bien sûr que non. A-t-il jamais été question d'expurger le film de ses commentaires racistes ? Bien sûr que non. On ne le répétera jamais assez : l'exercice de la censure est détestable et, en prime, contre-productif. Proposer une édition « corrigée » de *Huckleberry Finn* où les mots « injun » et « nigger » sont remplacés par « Indian » et « Slave » est une hérésie. Proposer une introduction sur le vocabulaire de l'époque et les intentions antiracistes de Mark Twain, désireux de capter la violence xénophobe de son temps, est une nécessité – comme il est nécessaire d'offrir un avertissement aux enfants en ouverture de *Tintin au Congo*.

L'affaire Weinstein a levé un coin du grand voile sur une situation qu'il est désormais impossible d'ignorer. Et ce n'est pas obéir à l'air du temps comme on gouverne au fait divers que de relire l'histoire du cinéma avec un regard instruit et averti, mais prendre en compte la dimension politique des œuvres *dans leur totalité*. Parce que les conséquences de l'affaire Weinstein ne sont pas un simple effet de mode, ni l'affaire Weinstein elle-même une simple anecdote. «Fait social total» (Marcel Mauss), l'après-Weinstein touche tous les membres de la société et tous les domaines d'activité sans exception. En quoi cette situation a-t-elle affecté notre système de représentations et façonné notre imaginaire depuis des décennies ? Et en quoi notre prise de conscience actuelle va-t-elle modifier les regards, de chaque côté de la caméra ? Questions ouvertes, auxquelles le monde du cinéma va devoir répondre, un jour ou l'autre.

En attendant, relire l'histoire conjuguée des femmes et du cinéma depuis Mai 68 est une expérience d'une richesse sans équivalent, pour qui souhaite comprendre l'irruption du mouvement #MeToo et sa très lente et méandreuse gestation. Si je ne devais prendre qu'un exemple et me cantonner à l'hexagone, je citerais *César et Rosalie* (1972) de Claude Sautet, parangon du film français, centré sur le triangle amoureux formé par Rosalie (Romy Schneider), divorcée et mère d'une petite fille, déchirée entre César (Yves Montand), fanfaron marchand de ferraille qui lui assure une vie aisée, et David (Sami Frey), son amour de jeunesse, dessinateur romantique et ténébreux revenu des États-Unis. Tout le monde a retenu de ce film la mise en scène d'un ménage à trois, censé incarner l'audace de la libération sexuelle et de l'émancipation des femmes. Rosalie hésite entre confort et aventure, quitte César pour David, revient vers César (quand bien même celui-ci l'a molestée, insultée, menacée d'un couteau et virée de chez lui), abandonne finalement tout le monde, tandis que se noue une amitié improbable entre les deux amants délaissés. Mais qui se souvient que Rosalie passe la moitié de son temps à la cuisine, où l'envoie César, installé dans son fauteuil ou jouant au poker avec ses amis (chérie, tu nous ferais pas une omelette?, chérie, des glaçons pour nos whiskies s'il te plaît, etc.) ou David dans son atelier d'artiste entouré de ses collaborateurs (Rosalie, tu servirais du café ?, etc.). L'effet de répétition est d'autant plus saisissant que, lorsque Romy Schneider n'est pas de corvée domestique, à faire la potiche à table ou à border sa fille, elle déclare avec l'insolence d'une femme moderne et un mouvement de tête qui fait danser sa chevelure : «Je suis une femme libre, moi!»

Mieux qu'un exemple, *César et Rosalie*, récemment qualifié de «film culte» par *Marie-Claire*, est une caricature en images des illusions produites par la révolution sexuelle dans la bourgeoisie française : une authentique libération des mœurs, notamment grâce à la contraception, qui autorise une nouvelle circulation des corps et des désirs, mais un sexisme et un machisme intacts, si profondément ancrés qu'ils sont passés totalement inaperçus à l'époque. C'est cet angle mort de la révolution sexuelle que le cinéma, littéralement et dans tous les sens, *révèle formellement* à travers ses fables – navets et chefs-d'œuvre confondus. Sous quel prétexte et pour quelle raison se priverait-on de cet enseignement ? Si les études de genre ont depuis longtemps attiré l'attention sur la signification politique de ces représentations, l'après-Weinstein a jeté un coup de projecteur supplémentaire. Il éclaire en biais ce qui plombe, entre autres, la tribune Deneuve et une certaine mentalité française, rétives à dénoncer les abus et les violences ordinaires, comme si la libération sexuelle qui a donné aux femmes une forme de puissance et de contrôle devait se payer, en contrepartie, d'un aveuglement volontaire aux questions de domination et de hiérarchisation des sexes. Il me semble au contraire qu'une déconstruction systématique de ces clichés libérerait utilement l'imagination érotique – et esthétique.

VI

Du moment au mouvement

Le 8 mai 2018, sept mois jour pour jour après le renvoi de Harvey Weinstein de sa propre compagnie, le procureur général de New York, Eric Schneiderman, en charge de l'enquête contre le producteur de Hollywood, présentait sa démission.

Champion du mouvement #MeToo, Schneiderman, 63 ans, œuvrait pour augmenter les compensations accordées aux victimes de Harvey Weinstein. À l'annonce du prix Pulitzer décerné au *New York Times* et au *New Yorker* pour leur couverture de l'affaire, il avait même twitté ses félicitations, en rendant hommage aux « femmes courageuses » qui avaient osé parler du « harcèlement sexuel subi par des hommes de pouvoir ». Sans ces femmes, ajoutait-il, le pays n'aurait pas pu prendre la mesure du problème. Quelques jours avant sa démission, il lançait une enquête sur les raisons qui avaient conduit Cyrus Vance (le procureur de Manhattan en charge de l'affaire DSK) à abandonner en 2015 les poursuites contre Weinstein, par «manque de preuves suffisantes». Régulièrement fêté par les associations féministes, Eric Schneiderman était un homme au-dessus de tout soupçon.

Jusqu'à ce qu'une enquête du *New Yorker* l'accuse, par la voix de quatre femmes «courageuses» et exaspérées de le voir se poser en héraut de leur cause. Le plus souvent sous l'emprise de l'alcool, Eric Schneiderman a battu très durement et tenté d'étrangler les femmes qui témoignaient – certaines ont pris en photo les séquelles de ce qui n'était *pas* un jeu sexuel. En 2010, alors que Schneiderman-Hyde pratiquait le soir dans sa chambre sur ses amantes, Schneiderman-Jekyll présidait un comité pour édicter une loi contre la strangulation conjugale, dont il allait durcir les conditions : «Je crois que cela sauvera bien des vies», confiait-il. En privé, il molestait les femmes avec lesquelles il avait une relation, dont certaines sortaient comme lui de Harvard, les frappant au visage. Il ne les a pas seulement giflées, il les a diminuées, il les a humiliées intellectuellement, professionnellement. L'une d'elles parle d'un «conte de fées qui tourne au cauchemar», avec un misogyne et un sadique insatiable, que sa fonction protégeait. «Je suis la loi[118]», disait-il.

La démission d'Eric Schneiderman correspond à un moment où se mettait à pointer, avec le retour du printemps, une très légère rumeur de *come back*, après le départ ou la suspension de tant de vedettes à l'automne 2017. Ici et là, du *New York Times* au *Guardian*, les chroniques rapportaient une impatience diffuse. On lisait que Charlie Rose, interviewer historique démis de ses fonctions, commençait à trouver le temps long et songeait à une émission où il interrogerait... les harceleurs (*sic*) ; que Mario Batali, chef vedette accablé par des témoignages portant sur plusieurs décennies, se sentait pressé de revenir aux commandes avec une nouvelle entreprise... dirigée par une femme ; que Matt Lauer, journaliste star démissionné, si fier de son «*sex button*» installé dans son bureau lui permettant de verrouiller les portes lorsqu'il était en tête à tête avec une femme, rongeait son frein. Avec le temps, l'opinion relativise et l'on sent dans l'air un parfum de revenez-y. Mais, comme le remarque Hadley Freeman dans *The Guardian* : qui a interrogé les femmes que ces hommes ont harcelées, pour savoir quelles opportunités leur ont été refusées ou dans quelle mesure leur vie a pâti d'avoir dit non ? Comment comparer les quelques mois de mise à pied de ces multimillionnaires avec des carrières dévoyées ou arrêtées ? «Il apparaît de plus en plus que le mouvement #MeToo n'a pas fait vaciller le patriarcat – il montre la ténacité du patriarcat à maintenir son emprise[119].»

Mais, comme chaque fois que se profile la menace d'un retour en arrière et d'un possible *backlash* dont la réalité est très sensible, un nouveau scandale éclate. Les révélations du

New Yorker ont fait l'effet d'une bombe. Eric Schneiderman a démissionné trois heures après la publication de l'article. Le symbole, il faut le reconnaître, est lourd. Le pourfendeur de Weinstein, le chevalier blanc ami des femmes, ne valait pas mieux que lui. Comme si l'affaire Weinstein avait parcouru un cercle complet. La boucle est bouclée.

Et maintenant ? D'autres scandales seront-ils nécessaires au maintien et au progrès de la brèche à peine ouverte ? Combien de Harvey Weinstein, de Larry Nassar, de James Toback, d'Eric Schneiderman va-t-il encore falloir endurer pour que les choses changent *vraiment* ?

Le mouvement #MeToo a provoqué un réveil collectif d'une ampleur très inattendue quant aux violences faites aux femmes. Mais entre la prise de conscience et la traduction en actes, entre la reconnaissance d'un problème et le changement en profondeur des comportements, l'écart est souvent béant, et il faut des années, voire des décennies, pour observer des progrès tangibles dans les mentalités. À condition que la mobilisation soit continue et les efforts constamment soutenus.

Je me souviens que, lorsque j'étais enfant, dans les années 1970, tout le monde jetait n'importe quoi dans la rue ou dans le caniveau, vieux Kleenex, restes de sandwichs, gobelets en plastique, papier d'emballage… Ces gestes, que l'on pensait en toute inconséquence sans conséquence, s'observent très rarement aujourd'hui. L'écologie ne les a pas seulement rendus indignes, mais ringards. Comme on dit dans la cour de l'école : « C'est nul. » Des lois ont été nécessaires pour économiser l'énergie, préserver l'eau, purifier l'air. Les populations ont dû changer leurs habitudes, de plus ou moins bon gré. Ces dispositions, souvent contraignantes comme le changement d'heure hiver/été, la circulation alternée, le recyclage obligatoire ou le ramassage des déjections canines sous peine d'amendes, n'ont d'effets que sur le long terme dans la culture et les mentalités, dont les transformations obéissent à une temporalité généralement indexée sur une, voire plusieurs générations. Lors des débats sur le mariage pour tou.te.s, les actes homophobes ont augmenté de façon astronomique (+ 27 % en 2012 et + 78 % en 2013). Ils tendent à revenir à leur niveau d'avant la promulgation de la loi, bien que dans la fourchette haute[120]. Des décennies devront sans doute s'écouler afin de le faire définitivement « entrer dans les mœurs », selon l'expression consacrée, même s'il ne sera jamais à l'abri des menaces ou des remises en question. C'est une erreur que de penser que les droits, une fois reconnus, sont acquis. Regardez l'avortement, sérieusement mis sur la sellette dans certains pays européens et désormais aux États-Unis.

En France, le projet de loi contre les violences sexuelles et sexistes était déjà en préparation lorsque l'affaire Weinstein a éclaté. Ce qui a servi un gouvernement qui, par ailleurs, est très en retard par rapport à ses voisins, comme la Suède et l'Espagne, qui accordent des budgets bien plus importants à ces questions. La loi repose sur quatre points : le renforcement de l'interdit sur les relations sexuelles entre majeurs et moins de 15 ans, l'allongement des délais de prescription pour les crimes sexuels sur mineur.e.s (trente ans après la majorité de la victime), la création d'une contravention d'outrage sexiste (sur le harcèlement de rue), un élargissement du harcèlement sexuel et moral. Toutes ces mesures ont donné lieu à des débats très vifs. Elles sont jugées insuffisantes par les associations féministes.

Quant à la culture sexiste en France, combien de temps faudra-t-il pour la ringardiser ? De la publicité à la chanson populaire, des blagues grivoises aux gestes déplacés, la misogynie semble se porter à merveille. La sortie télévisée de Dominique Besnehard, le 2 mars 2018, déclarant qu'il voulait « gifler » Caroline De Haas pour avoir dit qu'un homme sur trois était un agresseur sexuel fait partie de ces déclarations qui passent, et qui passent tant et si bien que le présentateur, Jean-Pierre Elkabbach, loin de s'étonner et de demander des explications, a surenchéri, sourire en coin : « Il n'est pas impossible que vous ne soyez pas le seul. » Caroline De Haas a porté plainte. Dominique Besnehard a refusé de s'excuser. Le CSA a été saisi.

Dès le 5 novembre 2017, la même Caroline De Haas avait lancé une pétition, en s'adressant directement au président de la République : « Décrétez

un plan d'urgence contre les violences sexuelles».
Signée par plus de 130 000 personnes, dont de nombreuses personnalités de la culture et des médias, ce «plan d'attaque» demandait le doublement immédiat des subventions aux associations qui accueillent les femmes en détresse, insistait sur la formation des professionnel.le.s de santé, de la police ou de l'éducation, la prévention du harcèlement sexuel au travail et dans les écoles et réclamait une campagne nationale sur le modèle de la sécurité routière.

En mars 2018, une campagne d'affichage contre le harcèlement dans les transports ratait étrangement sa cible, en figurant des femmes isolées menacées par des bêtes sauvages (un requin, un loup, un ours...), faune bien sûr familière aux usagères du métro... Cette animalisation des «prédateurs», ayant pour effet de déresponsabiliser les fautifs, a été très critiquée, jusqu'à parler de victoire des lobbys masculinistes. «Si l'on avait choisi des hommes, on aurait stigmatisé la moitié de la population[121]», s'est défendue, pour le moins maladroitement, la région Île-de-France sur France-Info. Mais qui sont les harceleurs? Les campagnes récentes au Canada, au Royaume-Uni ou aux États-Unis, où les frotteurs du métro sont clairement identifiés à M. Tout-le-monde, sont autrement réalistes.

La tribune Deneuve, la politique de la Cinémathèque (qui a consacré six rétrospectives et aucune exposition à des réalisatrices depuis 2005), les difficultés rencontrées par les étudiant.e.s à l'École des beaux-arts, le silence du monde de l'édition dessinent les contours d'un milieu culturel rétif au changement et plus encore à la réforme. Pour la première fois, néanmoins, un collectif de professionnels du cinéma, hommes et femmes, s'est engagé dans une tribune pour l'établissement de quotas de femmes dans le financement du cinéma français, disposition à laquelle la ministre de la Culture s'est dite favorable[122]. La création de «Maintenant on agit», sur le modèle de Time's Up, confirme cette tendance à vouloir que les choses bougent.

Au dernier Festival de Cannes, sa 71e édition, 82 femmes, dont Cate Blanchett et Agnès Varda, ont appelé à la parité, à l'égalité salariale et à une réelle diversité, lors d'une montée des marches 100 % féminine. Pourquoi 82 ? C'est le nombre de femmes retenues en compétition pour la Palme d'or depuis 1946, contre 1 688 hommes. Soit 4 %. Une hotline contre le harcèlement à Cannes a été ouverte – qui a aussitôt reçu un appel. Mais ce serait une erreur de croire que la politique de fond du Festival change : Thierry Frémaux a soutenu que la sélection se faisait «à la qualité» et qu'il était contre «la discrimination positive»[123]. Lors de la soirée de remise des prix, l'allocution d'Asia Argento a provoqué l'effet d'une déflagration : «En 1997, j'ai été violée par Harvey Weinstein ici à Cannes. (…) Toute une communauté lui a tourné le dos, même ceux qui n'ont jamais dénoncé ces faits. Et parmi vous, dans le public, il y a ceux que l'on devrait pointer du doigt à cause de leur comportement envers les femmes, un comportement indigne de cette industrie, de n'importe quelle industrie. Vous savez qui vous êtes. Plus important encore, nous nous savons qui vous êtes[124]. » La veille, une plainte pour viol avait été déposée contre Luc Besson par Sand Van Roy, comédienne âgée de 27 ans.

De l'autre côté de l'Atlantique, Hollywood n'en finit pas de faire le ménage. Bill Cosby et Roman Polanski ont finalement été exclus de l'Académie des Oscars – ce dernier, qui a qualifié le mouvement #MeToo d'« hystérie collective », réclame, apparemment sans ironie, que son expulsion soit conforme au règlement[125]. Ashley Judd intente un procès à Harvey Weinstein qui, furieux qu'elle lui ait résisté, s'était arrangé pour la torpiller et l'empêcher d'avoir le rôle dans *Le Seigneur des Anneaux*. Le verdict pourrait faire jurisprudence et ouvrir à des procès en cascade. Reste à savoir comment évaluer le préjudice et le montant des dommages et intérêts… Affaire à suivre.

Lors de la 90ᵉ cérémonie des Oscars en 2018, Frances McDormand, couronnée meilleure actrice pour *Three Billboards*, a demandé à toutes les femmes nominées (réalisatrices, actrices, scénaristes, photographes, etc.) de se lever. « Regardez autour de vous, a-t-elle lancé à la salle. Nous avons des histoires à raconter et des projets à financer. » Histoire de rappeler que ce n'est pas la rareté supposée des talents féminins mais bien le manque de soutien de la profession qui crée un tel déséquilibre et une telle injustice. L'impact de son intervention, en partie dû à son capital sympathie, était renforcé par son choix (coutumier) d'apparaître sans maquillage et sans décolleté, laissant au vestiaire la poupée et la femme fatale, glamour et paillettes, du chromo hollywoodien. Elle a quitté l'audience avec deux mots de conclusion, qui ont déchaîné des tempêtes d'interrogations sur Twitter, soufflés au micro : « *inclusion rider* ». Le terme désigne la clause contractuelle exigeant l'égalité de genre et de race sur les tournages.

Les initiatives dépassent le milieu du cinéma. Dans l'entreprise, les femmes se rebiffent. Les employées de Nike à Beaverton (Oregon), exaspérées par la culture machiste ambiante, ont décidé de faire circuler auprès des femmes de la compagnie un questionnaire sur leur expérience du harcèlement sexuel au travail. Le résultat, sous la forme d'un épais dossier, a atterri sur le bureau du président. Dans les semaines qui ont suivi, six responsables très haut placés, dont le dauphin présumé, quittaient leurs fonctions, rebondissement spectaculaire dans l'histoire de la marque dont le slogan est : « *Just do it* [126] ».

Le vent du changement souffle un peu partout, même jusque dans la police. À New York, la plainte d'une jeune fille violée par deux policiers dans leur van a abouti à l'abrogation d'une loi qui autorisait les relations sexuelles entre les policiers et... les personnes en détention, menottées – définition originale du consentement[127]. À Baltimore, le directeur du Musée d'art a, lui, pris une décision dont il reconnaît qu'elle est «inhabituelle et radicale[128]», même dans un pays où les œuvres d'art conservées dans les institutions culturelles ne sont pas inaliénables: vendre plusieurs tableaux du musée, dont un Rauschenberg et un Warhol, pour acheter des œuvres d'artistes sous-représenté.e.s, en l'occurrence les Noirs et les femmes. Le conseil d'administration l'a unanimement soutenu. Autre signe des temps: le juge Aaron Persky, qui avait condamné en 2015 Brock Turner, étudiant à Stanford qui avait agressé sexuellement et tenté de violer une jeune femme inconsciente, à six mois de prison (dont trois seront effectués), trois ans de probation et une inscription à vie au registre des délinquants sexuels, a été démis de ses fonctions le 5 juin 2018, à la suite d'une campagne extrêmement vive, considérant la sentence comme insultante. Aucun juge n'avait été rappelé de la sorte depuis quatre-vingts ans[129].

«*This is not a moment, it's the movement*», dit la chanson de *Hamilton* (2015), slogan repris par #MeToo. Ce mouvement mondial est porteur de beaucoup d'espoir et d'un vrai changement. Mais il reste très fragile. Il est aussi plein de dangers et de chausse-trapes.

Lorsque le scandale Weinstein a éclaté, le féminisme était dans une impasse. La formule illocutoire «*the f word*», comme on dit en anglais pour éviter de dire «*fuck*», à l'image du «*n word*» pour «*nigger*», était ironiquement utilisée pour «*feminism*», le mot qu'on n'osait même plus prononcer. La société américaine se disait post-féministe, post-queer, post-raciale, au moment où Donald Trump, justement, a été élu, sur la base d'une politique raciste, xénophobe, misogyne, homophobe et extrêmement agressive. Black Lives Matter (2013) a prouvé, comme le mouvement #MeToo (2017), à quel point l'histoire avait besoin de rebattre les cartes. Cette collusion n'a rien de fortuit. Les droits civiques et le féminisme, au milieu des frictions, ont mené nombre de combats communs, au point de déboucher sur le très fructueux concept d'«intersectionnalité», qui étudie comment se nouent et se croisent les problèmes de racisme, de sexisme et d'homophobie.

Cette re-légitimation du féminisme s'accompagne d'une prise de conscience multiple : la nécessité d'agir, solidairement, pour lutter contre le harcèlement et les violences sexuelles, la nécessité de refonder les rapports érotiques et d'analyser les limites du consentement, la nécessité de repenser un système de représentations qui avilit ou minore les femmes et s'articule à un environnement culturel professionnel corrompu par l'habitude. La liste n'est pas exhaustive. Ce chantier considérable passe, entre autres, par l'éducation et l'élaboration de forums au niveau national, sur des questions aussi variées que la parité, la diversité multiculturelle, les quotas, le plafond de verre, l'abus de pouvoir, la domination masculine, la charge mentale, le rôle de la pornographie dans l'apprentissage de la sexualité ou l'écriture inclusive. Or dans un monde où les réseaux sociaux nous ont habitué.e.s à une culture de l'insulte, de l'invective, du jugement à l'emporte-pièce, du lavage de cerveau minute, les vertus du débat contradictoire demandent à être réhabilitées.

Que ce soit aux États-Unis ou en France, cette conversation démocratique exige la participation des institutions, des associations militantes, des victimes concernées et de l'État. Elle requiert surtout la présence et la participation déterminante des hommes. Ils ont été, jusqu'à maintenant, bien silencieux. Pas tous, bien sûr. Des tribunes de solidarité ont été publiées. Des collectifs se sont montés. Un hashtag (#AskMoreofHim) a même été lancé. Mais cela reste minime.

Désignée coupable, la gent masculine, hébétée, est d'abord tombée des nues – les raisons de cette ignorance massive laisse déjà perplexe quant au dialogue hommes-femmes. Puis elle s'est recroquevillée, irritée, rebiffée, lassée. On parle désormais de *backlash*, alors que le débat commence à peine. Un exemple, symbolique, a fait du bruit. Eric Brion, identifié comme harceleur par Sandra Muller, la journaliste à l'origine de #BalanceTonPorc, s'est d'abord excusé, puis justifié, avant d'attaquer son accusatrice en diffamation.

C'est l'un des risques majeurs de l'après-Weinstein : l'intensification de la guerre. Non, tous les hommes ne sont pas des violeurs ni des prédateurs sexuels. C'est même toujours une erreur que d'essentialiser la violence, comme de vouloir la raciser. Mais un système profondément corrompu est à l'œuvre, auquel tout le monde collabore. Il faut donc le déconstruire *collectivement*. D'autant que, comme le dit si justement bell hooks : « Le premier acte de violence que le patriarcat exige des hommes n'est pas la violence contre les femmes. Le patriarcat exige plutôt de tous les hommes qu'ils participent à des actes d'automutilation psychique, qu'ils tuent la part émotionnelle en eux. Si un individu ne parvient pas à s'invalider émotionnellement, il peut compter sur les hommes du patriarcat pour procéder à des rituels de pouvoir qui attaqueront son amour-propre[130]. »

L'horizon de l'après-Weinstein n'est rien de moins que la première remise en question moderne sérieuse du patriarcat, dans son articulation autour du capitalisme et de l'universalisme. Vaste projet. Il est incontournable si l'on veut répondre à la seule question qui vaille : comment vivre ensemble ?

De nombreux écueils menacent ce programme politique. Le plus grave, car le plus tentant, est celui de la législation à tout crin, et d'une surjudiciarisation des rapports intimes. Au printemps 2017, paraissait ironiquement un livre auquel l'automne de l'affaire Weinstein a semblé opposer un démenti. Il me paraît au contraire propre à alimenter utilement le débat. *The War on Sex* est un ouvrage collectif dirigé par David M. Halperin et Trevor Hoppe. Dans sa passionnante introduction, David M. Halperin met en garde contre les dérives effarantes du système américain, sa « police » du sexe et sa manie de mettre de « l'ordre »[131] dans un espace de transgression et de plaisir – dont les minorités sexuelles ont eu historiquement tant à pâtir. Tout en reconnaissant les progrès accomplis depuis cinquante ans (sur l'avortement, les relations homosexuelles, la prise en compte du viol dans le mariage, les droits des transgenres, etc.), l'auteur attire l'attention sur l'escalade dans la criminalisation des actes sexuels jugés délictueux ou non conformes, face cachée du libéralisme et du progressisme officiel. L'accroissement du contrôle des populations, et notamment des adolescents et des enfants considérés comme délinquants sexuels (certains avant l'âge de 6 ans), dresse un tableau inquiétant d'une société exclusivement coercitive, où le *sexting* même consensuel est passible de prison. À côté de cela, 1 % des violeurs seulement terminent derrière les barreaux – barreaux dont on sait par ailleurs l'inefficacité –, tandis que les centaines de harceleurs qui font la une des journaux depuis un an ont tranquillement prospéré.

Dans les semaines qui ont suivi l'affaire Weinstein, la presse s'est interrogée sur la nature de l'événement – historique ou pas ? Si un événement historique se reconnaît, entre autres, à son pouvoir de rupture et de transformation, l'ampleur du *mouvement* initié depuis le mois d'octobre 2017 dit assez l'importance du *moment*. Mais la chronologie n'est pas la temporalité, ce temps long où est *aussi* prise l'affaire Weinstein.

Dans *Le Contrat sexuel*, livre phare du féminisme et de la théorie politique, Carole Pateman a démontré de façon magistrale comment le contrat social (et toute forme de contrat, de mariage, de travail, d'échange) présupposait un « contrat sexuel », qui en serait la « dimension refoulée ». Ce « pacte social-sexuel » induit dès l'origine, depuis les grands penseurs européens (Rousseau, Hobbes, Locke) jusqu'aux pères fondateurs de la nation américaine, la domination masculine et la subordination des femmes comme éléments constitutifs du patriarcat, en tant que nouvel ordre social. « Le contrat social est une histoire de liberté, le contrat sexuel de sujétion [132]. » L'un ne va pas sans l'autre. L'un est officiel, l'autre officieux et implicite. Les textes le disent : malgré la neutralité supposée du citoyen, seul l'homme est un individu, c'est-à-dire un sujet libre. La femme, dès l'origine exclue de l'espace politique, naît dans un monde qui appartient aux hommes, et aux hommes blancs, un monde qui a été conçu par eux et pour eux. C'est dans cette ornière que nous logeons encore, malgré tous les progrès d'émancipation accomplis ; l'affaire Weinstein l'a exemplifié de façon spectaculaire.

Cette «moitié de l'histoire» refoulée reste à écrire et, surtout, à réécrire et à réinventer. Cinquante ans après Mai 68, ce que propose l'après-Weinstein, n'est-ce pas, avant tout, de réparer le contrat social en faisant, *enfin*, la révolution sexuelle?

VII

Prologue

Pendant longtemps, la rumeur a dit qu'il s'en sortirait. Puis des articles ont paru précisant que, la plupart des faits étant prescrits, Harvey Weinstein pourrait bien échapper à la justice. Mais le 25 mai 2018, coup de théâtre, le producteur déchu s'est rendu à la police de New York. Il n'a pas eu un regard pour les dizaines de photographes et de journalistes qui l'attendaient à l'entrée et hélaient « Harvey ! Harvey ! », comme autrefois à Cannes.

Sous son bras, Weinstein serrait deux gros livres : l'un était une monographie consacrée à Rodgers et Hammerstein, deux rois de Broadway, respectivement compositeur et parolier, qui ont redéfini la comédie musicale ; l'autre une biographie d'Elia Kazan, par Richard Schickel. D'aucuns y ont vu une provocation, un symbole et un avertissement. « Que le spectacle continue ! » semble signifier le premier titre. L'insinuation contenue dans le second est à la fois plus sournoise et plus pertinente. Elia Kazan, membre du parti communiste entre 1934 et 1936, avait témoigné au plus fort du maccarthysme, en 1952, et donné les noms de ses camarades de l'époque, ce qui lui avait coûté nombre d'amis et une réputation de traître. En 1999, il recevra néanmoins un Oscar d'honneur, signe d'une réhabilitation qui divisait encore Hollywood, acteurs et actrices par dizaines s'abstenant d'applaudir. Harvey Weinstein, victime autoproclamée d'une « chasse aux sorcières », menacerait-il de revenir un jour sur le devant de la scène ?

Quoi qu'il en soit, le procès promet d'être très rude. Inculpé de viol au premier et troisième degré sur une femme en 2013, et d'agression sexuelle au premier degré en 2004 sur une autre, Weinstein plaide non coupable. « M. Weinstein n'a pas inventé la promotion canapé à Hollywood [133] », a déclaré d'entrée de jeu son avocat, Benjamin Brafman, avant de faire le distinguo entre comportement répréhensible et comportement criminel, suggérant par là que les femmes qui l'accusent n'ont fait que profiter d'un système. À sa sortie, escorté par deux détectives dont une femme, Weinstein, les mains menottées derrière le dos, souriait. L'image a fait le tour du monde, comme si la vie de Harvey Weinstein était comprise dans l'inversion de cette figure symétrique, de la montée des marches à Cannes au « *perp walk* » de New York, de l'ascension à la chute. Déféré devant la cour de Manhattan, il a déposé une caution de 1 million de dollars, rendu son passeport et accepté le bracelet électronique qu'il devra désormais porter, avec interdiction de sortie des États de New York et du Connecticut, jusqu'au procès.

En 2017, l'essayiste féministe Rebecca Solnit, autrice de *Men Explain Things to Me*[134], publiait *The Mother of All Questions*. Le plus long des chapitres de ce recueil s'intitule : « Une brève histoire du silence ». Il donne un aperçu du silence imposé aux femmes depuis la nuit des temps et de leur long chemin vers la prise de parole. C'est l'histoire tout entière du féminisme. Chaque page, chaque paragraphe de ce chapitre pourrait se rapporter directement à l'affaire Weinstein. « Le silence, écrit Rebecca Solnit, est ce qui laisse les gens souffrir sans recours, ce qui permet à l'hypocrisie et au mensonge de croître et prospérer, au crime de rester impuni. Si la voix est un aspect essentiel de notre humanité, être privé de voix, c'est être déshumanisé. Et l'histoire du silence est au centre de l'histoire des femmes[135]. »
Le silence prend mille formes. Voix étouffées par la peur, la sidération, l'intimidation, voix qui se perdent, ne sont ni écoutées, ni entendues, paroles interdites, censurées, voix confinées dans les asiles, éteintes, confisquées par le pouvoir, voix assourdies par la honte intériorisée, la politesse apprise, la crainte de blesser, voix ridiculisées et disqualifiées, voix inaudibles. Ce sont les voix associées à l'enfant que l'on ne croit pas, au fou

qui déraisonne, celles de l'esclave et du « primitif »
hors de la civilisation, c'est la voix de l'animal, qui
n'en a pas. Les femmes ont longtemps appartenu à
ces groupes « mineurs », jugés irresponsables, qui
n'avaient pas *voix au chapitre*; de tout temps, elles
se sont levées pour prendre la parole *quand même*.
En 2017, les actrices ont ajouté leur pierre à cet
édifice contre la réduction au silence.

Dans actrices – et ceci n'est peut-être pas anodin –, il y a acte. De plus en plus, les femmes
refusent de subir. Elles agissent. Même des décennies après, même lorsqu'il est trop tard, à l'image
de ces femmes qui, pour certaines, n'avaient jamais
dit à leur mari ou à leurs proches qu'elles avaient
été violées par Bill Cosby, quinze, vingt, vingt-cinq
ans auparavant. Même lorsque, pour d'autres, qui
sont noires, témoigner contre un Noir représente
une pression supplémentaire, qui vous associe
au pouvoir blanc, à une forme de trahison de la
communauté[136].

À cet égard (communautaire), l'un des sym-
boles les plus forts dans la réaction en chaîne
provoquée par le mouvement #MeToo a probablement été l'impact sur la religion, ce bastion
du silence par excellence. Le courage des femmes
musulmanes qui sont sorties du silence pour
dénoncer leur violeur et de celles qui ont lancé
#MosqueMeToo où s'accumulent les témoignages
d'agressions sexuelles durant le pèlerinage à
La Mecque[137]; des femmes évangélistes qui ont
créé #SilenceIsNotSpiritual[138]; des femmes qui

se sont révoltées contre le très puissant Paige Patterson, président du Southwestern Baptist Theological Seminary, qui conseillait aux femmes abusées ou violées de se taire et de prier [139]; des femmes ayant fait circuler une liste d'abuseurs dans la communauté juive [140]; des nonnes qui ont osé se plaindre de l'état de servitude «proche de l'esclavage [141]» où le Vatican les maintient : tous ces courages sont des courages *terminaux* dans le sens où ils émanent de communautés où la loi divine de soumission à Dieu se confond avec la règle séculière de soumission à ses représentants (mâles).

Royaumes du secret – de la révélation, mais aussi de la confession et/ou de la prière –, où les femmes sont à peu près toujours infériorisées, minorées et interdites d'accès aux fonctions liturgiques, les religions fonctionnent comme des espaces superlatifs de la domination masculine. Défier l'Église, la Mosquée, la Synagogue ou tout autre culte ou secte, c'est se confronter à Dieu, c'est-à-dire au pouvoir suprême. Si le mouvement #MeToo est parvenu à atteindre et pénétrer ces extrémités doctrinales, au risque de la foi, alors, oui, sans doute, l'espoir est permis.

Avec l'arrestation de Harvey Weinstein, une page se tourne. Gageons que ce qui a été écrit entre le 5 octobre 2017 et le 25 mai 2018 n'est que le prologue d'un livre qui commence.

Paris, 25 décembre 2017-Los Angeles, 4 juin 2018

Notes

1. http://www.liberation.fr/apps/2018/01/metoo-l-onde-de-choc/#/ (consulté le 30 janvier 2018).

2. Ce dernier, a-t-on appris en avril dernier, ne sera pas poursuivi à Los Angeles, les faits étant prescrits.

3. Le 18 mai 2018, Cristina Garcia a finalement été exonérée, les accusations ne pouvant pas être prouvées. Elle a reconnu avoir usé au cours de son mandat d'un «langage vulgaire» et d'avoir eu des comportements inappropriés. Elle a accepté de suivre une formation sur le harcèlement sexuel. L'un des plaignants, Daniel Fierro, s'est étonné de l'extraordinaire opacité du processus, plusieurs de ses témoins n'ayant jamais été interrogés. Il compte faire appel.

4. Les études sont rares, et le traitement de l'information s'avère lacunaire. Le plus souvent, on aura par exemple les chiffres des hommes harcelés, mais sans que soit précisé le sexe de l'auteur.e des violences. Pour un survol de la question, voir: Maria Puente, «Women are rarely accused of sexual harassment, and there is a reason why», *USA Today*, 18 décembre 2017.

5. Pour l'anecdote, l'année suivante, *9 to 5* (*Comment se débarrasser de son patron*), un film de Colin Higgins, raconte sur le mode humoristique l'histoire de trois employées de bureau (Jane Fonda, Lily Tomlin et Dolly Parton) décidées à se libérer d'un patron menteur, hypocrite et harceleur. Le film bat les records au box-office, au point de figurer parmi les vingt comédies les plus rentables de tous les temps.

6. Élisabeth Badinter, «La chasse aux sorciers», *Le Nouvel Observateur*, n° 82, 1991, p. 17-23.

7. Danielle Paquette, «How confidentiality agreements hurt – and help – victims of sexual harassment», *Washington Post*, 2 novembre 2017. À noter : la mise en faillite de la compagnie de Harvey Weinstein en mars 2018 a provoqué l'annulation de tous les accords de confidentialité signés entre le producteur et ses victimes. Voir : Brooks Barnes, «Weinstein Company files for bankruptcy and revokes nondisclosure agreements», *The New York Times*, 19 mars 2018.

8. *Libération*, 1992, cité par Abigail C. Saguy, «Les conceptions juridiques du harcèlement en France et aux États-Unis», *Travail, Genre et Sociétés*, n° 28, 2012. Voir également : Abigail C. Saguy, *What Is Sexual Harassment ? From Capitol Hill to the Sorbonne*, University of California Press, 2003.

9. Margaux Boddaert, «Affaire Baupin : pourquoi l'enquête préliminaire est classée sans suite», *Libération*, 6 mars 2017.

10. Victor Hugo, *Les Misérables*, tome IV, «Le 5 juin 1832», 1862.

11. «700 000 female farmworkers say they stand with Hollywood actors against sexual assault», *Time*, 10 novembre 2017.

12. https://www.timesupnow.com/ (consulté le 11 janvier 2018).

13. «Bannon sees #MeToo as an "existential threat"», Interview de Joshua Green par Terry Gross, «Fresh Air», NPR, 13 février 2018.

14. «Nous défendons la liberté d'importuner, indispensable à la liberté sexuelle», *Le Monde*, 9 janvier 2018.

15. D'après les différentes définitions données par le Centre national de ressources textuelles et lexicales.

16. Michelle Perrot, «Une histoire sans affrontements», *Le Débat*, n° 87, 1995, p. 133.

17. Joan Scott, «Vive la différence !», *Le Débat, op. cit.*, p. 138. Voir également : Joan Scott, «French theory of

seduction », in *The Fantasy of Feminist History*, Duke University Press, 2011.

18. Bernard-Henri Lévy, «Bloc-notes», *Le Point*, 16 mai 2011.

19. Éric Aeschimann, «Anne Sinclair pense appartenir à la caste des maîtres du monde», *L'Obs*, 21 février 2013.

20. Je ne résiste pas ici à citer une rumeur. Un jour, dans les couloirs de l'Assemblée nationale, DSK aurait lancé à Valérie Trierweiler (qui n'était pas encore la compagne du futur président de la République) : «Ah, voilà la plus belle journaliste de Paris !» Laquelle aurait répondu sans mollir : «Ah ? Je croyais que c'était Anne Sinclair.»

21. «Baupin : Il y a pu y avoir des situations de libertinage incompris», *L'Obs*, 1er juin 2016.

22. Il est à noter que la campagne #BalanceTonPorc a commencé la *veille* de la mise en circulation de #MeToo. Voir Abigail Saguy, «La fin de l'impunité», *La Vie des idées*, 27 février 2018.

23. «Bruno Le Maire assure qu'il ne dénoncerait pas un harceleur, puis rétropédale», *L'Express*, 16 octobre 2017.

24. *Le Monde*, 17 octobre 2017.

25. Charlotte Belaich, «La "séduction à la française" est-elle en danger ?», *Libération*, 11 janvier 2018.

26. «Le "féminisme à la française" selon la sociologue Irène Théry», *Le Monde*, 1er février 2018. La même Irène Théry a pourtant signé, le 21 octobre 2017, une tribune sans concession à propos du harcèlement, où elle écrit notamment, non sans panache : «J'ai choisi #MoiAussi, mais plus j'y pense, plus j'apprécie le chic de #BalanceTonPorc : pour toutes celles qui, parmi nous, ont reçu la vulgarité extrême au plus intime de leur corps, et qui en ont intériorisé la honte, y compris à leur esprit défendant, la respiration est plus libre depuis que ce remarquable retour à l'envoyeur a été balancé comme un direct du droit.» Irène Théry, «Harcèlement sexuel : "Nous sommes si nombreuses que c'en est impressionnant"», *Le Monde*, 21 octobre 2017.

27. Michelle Perrot : «L'absence de solidarité des femmes signataires de cette tribune me sidère», *Le Monde*, 11 janvier 2018.

28. «Joan Scott : "La séduction comme trait d'identité nationale française est un mythe"», interview par Cécile Daumas, *Libération*, 26 janvier 2018.

29. Les signataires se sont empressées de se désolidariser avec Brigitte Lahaie, «l'ancienne star du porno», à commencer par Catherine Deneuve. Mais personne n'a osé attaquer Catherine Millet, directrice d'*art press*, qui a déclaré à plusieurs reprises : «J'aurais bien aimé être violée pour prouver qu'on peut s'en sortir.»

30. Zyneb Dryef et Blandine Grosjean, «Dix ans après, Catherine Millet vous reparle de sexe (et d'amour)», *L'Obs/Rue 89*, 24 juin 2011.

31. «Sophie de Menthon virée de RMC», *Libération*, 5 février 2013.

32. Cécile Daumas, «L'inattendu retour de la "charge mentale"», *Libération*, 28 juin 2017.

33. «The real "shy Trump" vote – how 53 % of white women pushed him to victory», *The Guardian*, 10 novembre 2016.

34. «Silvio Berlusconi salue les "saintes paroles" de Catherine Deneuve», *Courrier international*, 12 janvier 2018. La déclaration complète de Berlusconi à la télévision est consultable sur : https://www.quotidiano.net/politica/video/berlusconi-da-catherine-deneuve-parole-sante-lapresse-1.3658159 (consulté le 20 janvier 2018).

35. Tous ces chiffres sont issus de *La Lettre de l'Observatoire national des violences faites aux femmes*, MIFROP, 2016.

36. The National Intimate Partner and Sexual Violence Survey, National Center for Injury Prevention and Control, 2010-2012, avril 2017.

37. Enquête CVS, 2017. Cité par Lucie Delaporte, Louise Fessard et Michaël Hajdenberg, «Violences sexuelles : la gauche a-t-elle perdu ses repères ?», Médiapart,

9 mai 2018. D'après Céline Piques, porte-parole d'Osez le féminisme!, interrogée dans le même article, il y aurait 124 000 mineur.e.s violé.e.s chaque année.

38. Enquête sur le harcèlement au travail, Le Défenseur des droits, mars 2014. Ces «chiffres clés» figurent sur le site du secrétariat d'État chargé de l'Égalité entre les femmes et les hommes.

39. Select Task Force on the Study of Harassment in the Workplace, U.S. Equal Employment Opportunity Commission, juin 2016. Voir également les derniers chiffres publiés : «A new poll on sexual harassment suggests why "Me Too" went so insanely viral», Fortune.com : http://fortune.com/2017/10/17/me-too-hashtag-sexual-harassment-at-work-stats/ (consulté le 11 février 2018).

40. Victims of Sexual Violence : Statistics, RAINN (Rape, Abuse & Incest National Network) : https://www.rainn.org/statistics/victims-sexual-violence (consulté le 10 février 2018).

41. La délégation aux entreprises de plus de 15 employé.e.s de la responsabilité en cas de harcèlement sexuel et la mise en place de dommages et intérêts punitifs constituent une différence majeure entre le système américain et le système français. Il a l'avantage de donner une réalité concrète au problème tout en l'étouffant sous des considérations exclusivement financières.

42. Le Titre IX est la loi fédérale qui interdit toute discrimination en raison du sexe. Toutes les universités ont un.e responsable du Titre IX, auquel est rattachée la gestion des problèmes de violences sexuelles sur les campus.

43. Susan Chira et Catrin Einhorn, «How tough is it to change a culture of harassment ? Ask women at Ford», *The New York Times*, 19 décembre 2017.

44. Brit McCandless, «On 60 minutes, former gymnasts allege sexual abuse», CBS News, 19 février 2017.

45. Eric Levenson, «Larry Nassar sentenced to up to 175 years in prison for decades of sexual abuse», CNN, 24 janvier 2018.

46. Matt Hamilton, Richard Winton et Adam Elmahrek, «Criminal probe into USC doctor intensifies», *Los Angeles Times*, 30 mai 2018.

47. Susan Svrluga, «Education Department opens investigation into USC after gynecologist scandal», *The Washington Post*, 11 juin 2018.

48. Katie Way, «I went on a date with Aziz Ansari. It turned into the worst night of my life», Babe.net, 13 janvier 2018 : https://babe.net/2018/01/13/aziz-ansari-28355 (consulté le 27 janvier 2018).

49. Aziz Ansari et Eric Klinenberg, *Modern Romance : An Investigation*, New York, Penguin Press, 2015.

50. Le titre fait référence à une expression, *Jack of All Trades, Master of None*, que l'on pourrait rendre par : Touche-à-tout mais bon à rien.

51. Bari Weiss, «Aziz Ansari is guilty. Of not being a mind reader», *The New York Times*, 15 janvier 2018.

52. https://www.realclearpolitics.com/video/2018/01/17/hln_ashleigh_banfield_aziz_ansari_accuser_you_had_an_unpleasant_date_you_did_not_leave_that_is_on_you.html (consulté le 28 janvier 2018).

53. Caitlin Flanagan, «The humiliation of Aziz Ansari», *The Atlantic*, 14 janvier 2018.

54. Sur cette question, on se référera à Geneviève Fraisse, *Du consentement*, Seuil, 2017.

55. http://deadline.com/2018/01/samantha-bee-aziz-ansari-mee-too-feminism-golden-globes-pin-video-1202245409/ (consulté le 28 janvier 2018).

56. Blandine Grosjean, «De la résignation au consentement, le problème de la zone grise», *Le Monde*, 26 janvier 2018.

57. Single hors album, auteur-compositeur-interprète : Orelsan, 2006.

58. Single hors album, auteur-compositeur-interprète : Orelsan, 2006.

59. Stéphanie Binet, «Orelsan, le rap à plat», *Libération*, 17 février 2009.

60. Julien Bordier, «Orelsan l'Alençonnais», *L'Express*, 28 janvier 2009.

61. Cité *in* : «Orelsan vs associations féministes : le rappeur relaxé», *L'Obs*, 18 février 2016.

62. Cour d'appel de Versailles, 8ᵉ chambre, arrêté du 18 février 2016, 15/02687, p. 9-10. C'est moi qui souligne.

63. Nadia Daam, «Le sale arrière-goût de l'affaire Orelsan», *Slate*, 19 février 2016. C'est moi qui souligne.

64. *Ibid.*

65. «French rapper Orelsan's onslaught on women prompts outrage», *The Guardian*, 29 mars 2009.

66. Isabelle Alonso, «L'Opinel d'Orelsan», 27 mai 2009 : http://www.isabelle-alonso.com/lopinel-dorelsan/ (consulté le 22 mars 2018).

67. Katia Touré, «Le clip féministe de rap qui parodie Orelsan encore censuré par YouTube», *Huffington Post*, 15 mars 2016.

68. Cour d'appel de Versailles, *ibid.*, p. 9.

69. https://www.change.org/p/annulation-des-prix-du-rappeur-orelsan-aux-victoires-de-la-musique.

70. https://www.change.org/p/tout-le-monde-annulation-de-l-annulation-des-prix-du-rappeur-orelsan-aux-victoires-de-la-musique.

71. Mathilde Cesbron, «Bertrant Cantat : son album démarre plus fort que celui de Daho», *Le Figaro*, 27 novembre 2013.

72. «Les explications des *Inrocks* une semaine après leur une polémique avec Bertrand Cantat», *Le Monde*, 17 octobre 2017.

73. JD Beauvallet, «Bertrand Cantat : "Rêver m'est impossible"», *Les Inrockuptibles*, 11 avril 2014.

74. Julie Brafman, «La justice rouvre l'enquête sur la mort de l'ex-femme de Bertrand Cantat», *Libération*, 3 juin 2018.

75. Anne-Sophie Jahn, «Bertrand Cantat, enquête sur une omerta», *Le Point*, 29 novembre 2017.

76. Auteur : Orelsan ; compositeur : Skread, Wagram Music/3ᵉ bureau, 2009.

77. Audrey Kucinskas, « Tweets haineux de Mehdi Meklat : *Les Inrocks* au cœur d'une controverse », *L'Express*, 21 février 2017. Pierre Siankowski, directeur de la rédaction des *Inrocks*, avait été parmi les premiers à condamner très fermement ces tweets « abominables, abjects », et à ajouter crânement : « Jamais les *Inrockuptibles* n'ont, tout au long de leur histoire, toléré au sein de leurs colonnes de propos antisémites, racistes ou homophobes » (on notera l'absence de la misogynie). Pourtant, des échanges déterrés entre Pierre Siankowski et Marcelin Deschamps montrent qu'il était en réalité parfaitement au courant. En 2012, Alexandre Comte écrivait même à propos de Deschamps dans *Les Inrocks* : « Ça peut aller trop loin, mais la plupart du temps, c'est drôle à mourir. » Seule Pascale Clark, une des rares à défendre Mehdi Meklat et à être cohérente avec elle-même, a eu le courage de dire que tout le monde avait connaissance de Marcelin Deschamps et des dérapages du bloggeur sur son propre compte twitter.

78. Pour une synthèse sur la question, on se référera notamment à Carole Talon-Hugon, *Morales de l'art*, PUF, 2009.

79. Je n'ai pas réussi à identifier la paternité de cette amusante formule, que j'ai trouvée dans plusieurs articles. « *The elephant in the room* » ou « l'éléphant dans la pièce » est une expression idiomatique pour désigner l'évidence que tout le monde a sous les yeux et veut éviter d'analyser. « *The elephant in the screening room* » est, littéralement, l'éléphant dans la salle de projection.

80. Cité *in* Faulkner, *Œuvres romanesques*, I, Gallimard, « Bibliothèque de la Pléiade », 2000, p. 1341.

81. *Ibid.*, p. 1358. Il est à noter qu'à cette époque Faulkner avait déjà publié, entre autres, *Sartoris*, *Le Bruit et la Fureur* ou *Tandis que j'agonise*.

82. Régis Michel, *Posséder et détruire. Stratégies sexuelles dans l'art d'Occident,* Réunion des musées nationaux, 2000, p. 22.

83. Étienne Mercier et Anthony Barea, *Les Français et les Représentations sur le viol*, Ipsos, décembre 2015.

84. Voir notamment les études pionnières de Marjorie Rosen, *Popcorn Venus: Women, Movies, and the American Dream*, Coward, McCann & Geoghegan, 1973; Molly Haskell, *From Reverence to Rape: The Treatment of Women in Movies*, [1974], réed. University of Chicago Press, 2016; et l'article si souvent cité de Laura Mulvey, «Visual pleasure and narrative cinema», *Screen*, Oxford Journals, 16 (3), 1975, p. 6-18. Plus près de nous: Brigitte Rollet, *Femmes et cinéma, sois belle et tais-toi*, Belin, 2017.

85. Sophie Benamon, «Quelle place pour les femmes dans le cinéma?», *L'Express*, 21 octobre 2015.

86. Ce test, imaginé par Alison Bechdel, autrice de bandes dessinées, pour mesurer le sexisme au cinéma, est parfois dit test de Bechdel-Wallace, l'artiste ayant crédité son amie Liz Wallace d'en avoir eu l'idée. Il puise son inspiration chez Virginia Woolf, qui s'étonnait, dans *Une chambre à soi* (1929), d'une part que la présence de deux amies soit si rare dans la littérature, et d'autre part que les femmes soient toujours regardées en relation avec les hommes.

87. Sur toutes ces questions, je renvoie à l'excellent site de Geneviève Sellier, *Le Genre et l'Écran*, et notamment à l'entretien avec de Delphine Chedaleux par Mathieu Loewer, intitulé «Culture du viol/Balance ton film» et publié initialement dans *Le Courrier* (quotidien suisse) du 16 novembre 2017.

88. Jacques Rivette, «De l'abjection», *Cahiers du cinéma*, n° 120, juin 1961, p. 54-55.

89. Cité *in* Jean-Marie Pottier, «"Le travelling de Kapo": comment Rivette nous a fait réfléchir sur la Shoah au cinéma», *Slate*, 29 janvier 2016.

90. Walter Benjamin, *Correspondance*, I.

91. Serge Daney, «Le travelling de *Kapo*», *Trafic*, n° 4, P.O.L., 1992.

92. Laura Mulvey, «Visual pleasure and narrative cinema», *op. cit.* Laura Mulvey reviendra sur ce texte

fondateur dans *Afterthoughts*, notamment pour prendre en compte le rôle de la spectatrice.

93. Sources : *La Place des femmes dans l'industrie cinématographique et audiovisuelle*, rapport 2017 du CNC – Centre national du cinéma et de l'image animée ; *The Celluloid Ceiling 2017*, Center for the Study of Women in Television and Film.

94. D'après un site consacré aux revues de cinéma, sur 568 critiques de langue française recensés, 54 seraient des femmes, soit moins de 10 % : http://www.revues-de-cinema.net/ListeCritiquesFR.php.

95. « Comme d'autres… », a rétorqué la journaliste : http://www.dailymotion.com/video/x2sc2d9.

96. Cité par Hadley Freeman, « What does Hollywood's reverence for child rapist Roman Polanski tell us ? », *The Guardian*, 30 janvier 2018.

97. Cette dernière a déclaré récemment regretter d'avoir signé cette pétition. Emma Thompson a également demandé par la suite que son nom soit retiré.

98. Cité par Hadley Freeman, « What does Hollywood's reverence for child rapist Roman Polanski tell us ? », art. cité. C'est moi qui souligne.

99. Laurent Carpentier, « Mobilisation féministe contre la venue de Roman Polanski à la Cinémathèque française », *Le Monde*, 30 octobre 2017.

100. Lucas Latil, « Rétrospective Polanski : un "choc totalitaire" de "demi-folles" pour Frédéric Bonnaud », Médiapart, 10 novembre 2017. Cette accusation relayait en quelque sorte les propos de Polanski lui-même le soir de l'ouverture de la rétrospective, qui avait qualifié de « zinzins » les femmes qui voulaient « censurer » son cinéma, en glissant une allusion à Hitler interdisant les œuvres des juifs.

101. Une pétition signée par près de 300 personnes du milieu du cinéma avait à l'époque soutenu Jean-Claude Brisseau, d'Éric Rohmer à Claire Denis, de Philippe Garrel aux frères Dardenne. Les frères Dardenne ont été les seuls,

à ma connaissance, à regretter ce geste en 2017, dans un e-mail à l'équipe de l'émission «Stupéfiant»!

102. Manuel Jardinaud, «La Cinémathèque pose une chape de plomb sur la question des violences sexuelles», Médiapart, 3 février 2018.

103. «"La Cinémathèque n'est pas la hauteur", regrette la Société des réalisateurs», *Les Inrocks*, 10 novembre 2018.

104. Personne ne sait l'âge exact de Soon Yi Previn, enfant trouvée dans un quartier pauvre de Séoul. Un scanner des os lui aurait donné, au moment de l'adoption par Mia Farrow, entre 5 et 7 ans.

105. Dylan Farrow, «An open letter from Dylan Farrow», *The New York Times*, 1er février 2014.

106. Ronan Farrow, «My father, Woody Allen, and the danger of questions unasked», *The Hollywood Reporter*, 11 mai 2016.

107. Sonia Rao, «Colin Firth, Rachel Brosnahan are the latest actors who won't work with Woody Allen», *Washington Post*, 19 janvier 2018.

108. Melena Ryzik, «Kate Winslet relives two haunting film experiences», *The New York Times*, 6 septembre 2017.

109. Kate Winslet: «London Critics' Circle film awards speech», *BBC News*, 29 janvier 2018.

110. Melena Ryzik et Brooks Barnes, «Can Woody Allen work in Hollywood again?», *The New York Times*, 28 janvier 2018.

111. Sur cette question théorique complexe, je renvoie au dossier du site Fabula.org conçu par Marc Escola, «Proust contre Sainte-Beuve»: http://www.fabula.org/atelier.php?Proust_contre_Sainte-Beuve (consulté le 1er mai 2018). Cette distinction entre le moi social et le moi créateur a très probablement été en partie élaborée par Proust pour isoler sa vision de l'homosexualité du fait qu'il était lui-même homosexuel. Ironiquement, l'université française suivra longtemps cette fausse piste, en jugeant négligeable ce détail biographique, déclaré sujet secondaire dans la lecture de la *Recherche du temps perdu*. Il faudra attendre

le développement de la théorie *queer* pour révéler à quel point la *Recherche* est hantée par la question de l'inversion sexuelle du début à la fin, en passant par un volume qui s'intitule, tout de même, *Sodome et Gomorrhe*.

112. Roland Barthes, «La mort de l'auteur», *Essais critiques*, IV, Seuil, 1984.

113. Le dernier film d'Abdellatif Kechiche, *Mektoub, My Love* (2017), a par exemple donné lieu à un dialogue de sourds sur France Culture, entre François Bégaudeau, qui défendait l'«esthétique» du film, fermé à des considérations sexistes forcément «réductrices», et Iris Brey, qui pointait les partis pris de cinéaste dans sa façon de filmer les femmes – et leurs culs, en particulier. Comme si filmer un cul n'était pas déjà en soi un parti pris esthétique et politique. Voir: «La grande table», partie I: «Le désir à l'écran: Il est libre, Kechiche!», *France Culture*, 28 mars 2018.

114. Voir entre autres: Amanda Hess, «How the myth of the artistic genius excuses the abuse of women», *The New York Times*, 10 novembre 2017.

115. Maureen Dowd, «This is why Uma Thurman is angry», *The New York Times*, 3 février 2018. En mai 2018, Uma Thurman déclarait néanmoins que, malgré ce drame qui lui a valu des années de brouille avec Quentin Tarantino, elle accepterait de travailler à nouveau avec lui.

116. Richard Morgan, «I read decades of Woody Allen's private notes. He's obsessed with teenage girls», *The Washington Post*, 4 janvier 2108.

117. A. O. Scott, «My Woody Allen problem», *The New York Times*, 31 janvier 2018. A. O. Scott affirme au début de son article que la culpabilité de Woody Allen peut se déchiffrer à travers ses films. Quelques semaines plus tard, Thomas Sotinel reprenait le débat, en préférant la position du «doute», dans un article tout en nuances, qui, curieusement, ne faisait nulle part référence à l'article de A. O. Scott: «Revoir les films de Woody Allen à l'heure de #MeToo», *Le Monde*, 24 février 2018.

118. Jane Mayer et Ronan Farrow, « Four women accuse New York's attorney general of physical abuse », *The New Yorker*, 7 mai 2018.

119. Hadley Freeman, « After six months of #MeToo, the burning question seems to be : how soon can these guys come back ? », *The Guardian*, 28 avril 2018. Voir aussi : Kim Severson, « Disgraced by scandal, Mario Batali is eying his second act », *The New York Times*, 2 avril 2018.

120. SOS-Homophobie, rapport annuel 2018, p. 16.

121. Cité par Catherine Fournier, « Campagne contre le harcèlement sexuel dans le métro : "Une vision politiquement correcte", selon une sociologue », www.francetvinfo. fr, 7 mars 2018 (consulté le 15 mai 2018).

122. Sexisme au cinéma : « Les quotas, une étape inévitable pour vaincre les inégalités », *Le Monde*, 1er mars 2018.

123. Farah Nayeri, « Cannes, where Weinstein reigned, reckons with #MeToo fallout », *The New York Times*, 15 mai 2018.

124. AFP, « Festival de Cannes 2018 : Asia Argento promet sur scène de ne pas laisser les agresseurs sexuels s'en sortir », *The Huffington Post*, 19 mai 2018.

125. Megan Garber, « Roman Polanski wants due process », *The Atlantic*, 3 mai 2018.

126. Julie Creswell, Kevin Draper et Rachel Abrams, « At Nike, revolt led by women leads to exodus of male executives », *The New York Times*, 28 avril 2018.

127. Kristan Conley, « NY Legislature passes measure making it illegal for cops to have sex with prisoners », *The New York Post*, 30 mars 2018. Les relations sexuelles entre policiers et personnes sous leur détention (hors la prison) sont encore légales dans 33 États des États-Unis.

128. Julia Halperin, « It is an unusual and radical act », artnet.com, 30 avril 2018.

129. John Pfaff, « California ousts an elected judge. Everybody loses », *The Washington Post*, 13 juin 2018.

130. bell hooks, *The Will to Change. Men, Masculinity and Love*, Atria Books, 2004, p. 66. Ma traduction.

131. David M. Halperin, «Introduction», *in* David Halperin et Trevor Hoppe, *The War on Sex*, Duke University Press, 2017.

132. Carole Pateman, *The Sexual Contract*, Stanford University Press, 1988.

133. James Queally, Richard Winton et Hailey Branson-Potts, «Weinstein cites "casting couch" defense as he faces rape charges in New York», *The Los Angeles Times*, 26 mai 2018.

134. Ce livre paru en 2012 a été traduit en français sous le titre : *Ces hommes qui m'expliquent la vie*, Éditions de l'Olivier, 2018.

135. Rebecca Solnit, *The Mother of All Questions*, Haymarket Books, 2017, p. 18. Ma traduction.

136. «Bill Cosby rape survivor says black women face disproportionate pressure not to speak out on assault», *Democracy Now!*, 25 mai 2018.

137. Mona Eltahawy, «#MosqueMeToo : What happened when I was sexually assaulted during the hajj», *The Washington Post*, 15 février 2018.

138. http://www.silenceisnotspiritual.org/statement (consulté le 26 mai 2018).

139. Sarah Pulliam Bailey, «Southern Baptist leader encouraged a woman not to report alleged rape to police and told her to forgive assailant, she says», *The Washington Post*, 22 mai 2018. Bobby Ross Jr, Sarah Pulliam Bailey et Michelle Boorstein, «Prominent Southern Baptist leader removed as seminary president following controversial remarks about abused women», *The Washington Post*, 23 mai 2018.

140. Hannah Dreyfus, «#MeToo list circulation in Jewish nonprofit world», *The New York Jewish Week*, 9 février 2018.

141. RTBF avec Belga, «#MeToo au Vatican : "Des nonnes travaillent comme des esclaves pour les prélats"», *RTBF info*, 1er mars 2018.

Remerciements

Je remercie Alexandre Schulz, qui a fourni une partie de la documentation de ce livre et a été, tout au long de son élaboration, un interlocuteur de choix.

Je remercie tou.te.s les étudiant.e.s de mon séminaire, «From the DSK affair to the Weinstein effect. Sex and Politics in France and the United States», donné à UCLA au printemps 2018. Nos discussions et nos échanges d'informations ont éclairé à bien des égards la rédaction de ce livre.

Table

Cet ouvrage a été composé
par Maury à Malesherbes
et achevé d'imprimer par
La Nouvelle Imprimerie Laballery
pour le compte des Éditions Stock
21, rue du Montparnasse, 75006 Paris
en décembre 2018

Stock s'engage pour l'environnement en réduisant l'empreinte carbone de ses livres. Celle de cet exemplaire est de :

600 g éq. CO_2

Rendez-vous sur www.editions-stock-durable.fr

PAPIER À BASE DE
FIBRES CERTIFIÉES

Imprimé en France

Dépôt légal : décembre 2018
N° d'édition : 02 – N° d'impression : 811306
64-07-3974/6